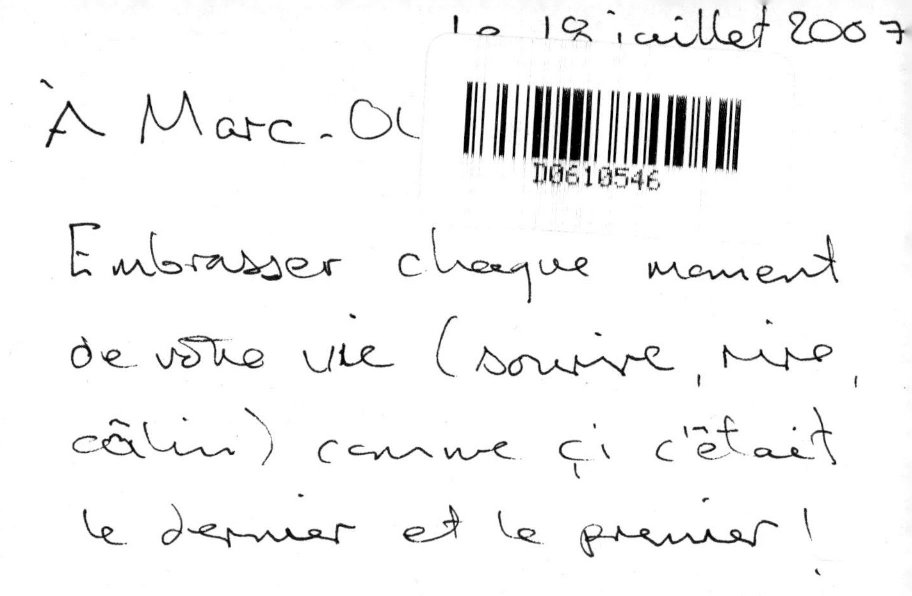

Embrasser la vie

Un doux câlin

M. Câlin

Embrasser la vie

Un guide pratique sur l'art de câliner

Martin Neufeld
*Monsieur Câlin*mc

Traduit de l'anglais par
Suzanne Raby et Martin Neufeld

Publié par Monsieur Câlinmc - The Hugger Buskermc
Montréal, Canada

Monsieur Câlin[mc], Embrasser la Vie[mc]
The Hugger Busker[mc], Hugging Life[mc]

Catalogage avant publication de Bibliothèque et Archives Canada
Neufeld, Martin, - Embrasser la vie: un guide pratique sur l'art de câliner / Martin Neufeld; traduit de l'anglais par Suzanne Raby et Martin Neufeld.
Traduction de: Hugging life.
1. Étreinte. I. Raby, Suzanne, 1963- II. Titre.
BF637.H83N4914 2006 158.1
C2006-905289-1

ISBN 0-9780599-1-3

Infographie : Samantha Wexler
Maquette intérieure : Richard Strother
Photos de couverture : François Miron
Illustrations : Copyright 2006 Leanne Franson

Publié par Monsieur Câlin[mc] - The Hugger Busker[mc]
Imprimé et relié au Canada
sur du papier recyclé à 100%

PRÉFACE

Mon cher ami Martin,

Après avoir lu ton livre, j'ai trouvé le mot pour nommer notre relation : fraternelle et tendre. S'il fallait expliquer ce que sont ces choses à un Martien, je dirais que la fraternité et la tendresse sont ce qui reste quand on a tout perdu.

La fraternité et la tendresse sont les deux matières premières les plus précieuses dans l'univers et pourtant elles ne sont pas cotées en bourse.

Je repense au film H qu'on a tourné ensemble il y a quelques années. Nous jouions deux junkies dans un huis-clos, qui traversaient une désintoxication à l'héroïne. Déjà, tu savais faire des câlins sans toucher, seulement en ouvrant tes bras et ton cœur. Tu as une qualité de présence et une disponibilité qui ne peuvent pas être truquées et tu ne triches pas.

Maintenant, tu fais comme les abeilles. Combien de centaines de fleurs butinées pour produire une cuillérée de miel. Combien d'humanité, de tendresse butinée pour écrire ce livre magnifique.

Comme tu dis, on peut changer le monde, un câlin à la fois. Le câlin est gratuit, à la portée de tous et absolument démocratique.

Ton amie Pascale ( ) ( ) ( )

Ce livre est inspiré de l'amour de ma mère et
de la lumière de sa foi spirituelle.
Il est dédié à tous ceux qui ont oublié que
l'amour inconditionnel et le réconfort sont
toujours à notre portée, pas plus loin que
l'espace d'un câlin.

MOT D'ACCUEIL

Ce livre n'est pas une histoire, une étude, une thèse, ni même un manifeste, mais bien un voyage à la découverte de la tendresse humaine et de l'amour-compassion, dévoilée un câlin à la fois.

Je ne suggère pas que vous lisiez ce livre d'un seul trait mais plutôt que vous le découvriez petit à petit. Les câlins, semblables aux truffes, ces chocolats raffinés, prennent toute leur saveur lorsque savourés avec passion, un à la fois, à petites bouchées, afin que leur richesse ne submerge pas tous les sens.

C'est dans cet esprit que je vous invite à errer paisiblement dans les pages qui suivent afin d'y découvrir les possibilités qui s'offrent à vous lorsque vous choisissez d'ouvrir vos bras aux autres et à la vie.

Note : Veuillez noter que j'utilise la forme masculine uniquement dans le but d'alléger le texte. De même, afin d'assurer une meilleure compréhension j'aimerais préciser que les termes «*hug, câlin, caresse, étreinte, embrassade, accolade et collade…*» sont des synonymes qui signifient le fait de serrer quelqu'un dans ses bras.

REMERCIEMENTS

À… mes parents Theresa Hébert et Peter Neufeld, ma sœur, amie et confidente Annik et mon inspiratrice et compagne de cœur, Jade Chabot, pour l'amour et l'appui qu'ils m'ont donnés tout au long de ce voyage extraordinaire ; Suzanne Raby, sans qui cette traduction n'aurait pas vue la lumière du jour ; Francine Moreau, pour sa générosité d'esprit ; Pascale Montpetit pour son esprit joyeux et ses mots de cœur ; Jean-François Pichette, mon ange gardien ; mes guides, amis, complices et compagnons d'étreinte : Richard Strother, Samantha Wexler, Claude Brunelle, Jean-Yves Girard, Évelyne Fiorenza, Francine Bois, Ian Eaton, Dominic Papineau, Jean Guy Bouvrette, de la boutique Saithong ; Manuel et Jean-François Faria, du Restaurent des Gouverneurs, Dave - le joyeux cycliste qui n'a qu'une jambe et sa mère Marie-Paulette, qui nourrit les sans-abri et les milliers d'autres êtres merveilleux qui m'ont couvert d'affection, de cadeaux, de compassion, d'encouragement et d'amour.

À vous qui m'avez inspiré, guidé et soutenu dans mon apprentissage vers l'amour sans conditions, la bonté envers les autres et la beauté d'un câlin, je vous offre ma plus profonde gratitude et des câlins chaleureux à profusion.

Je remercie Dieu pour cette vie qui est des plus magnifiques et pour la chance de la vivre à nouveau chaque jour.

TABLE DES MATIÈRES

Parfois il est bon de commencer par un câlin,
puisque chaque câlin invite une fin heureuse !

- 1 -

L'AVENTURE D'UN CÂLINEUR

«Une visite à Montréal au mois d'août dernier m'a permis d'éprouver quelque chose de nouveau. Je me promenais dans le Vieux-Montréal avec ma petite amie et nous regardions les spectacles de magiciens lorsque nous sommes passés devant un homme statuesque qui proposait des câlins aux gens. Mon amie insistait pour aller lui donner un câlin, tandis que moi très sceptique, je la prévenais de la possibilité que ce type soit un genre de pickpocket. Nous avons dû passer au moins six fois devant lui et chaque fois, je le regardais d'un œil méfiant. À notre dernier jour de vacances, ma copine me demanda de nous arrêter dans le Vieux-Montréal afin qu'elle puisse finalement aller voir de près le «Hugger» et ainsi ne pas terminer ses vacances avec l'impression d'avoir manqué quelque chose. Nous y sommes donc retournés et l'avons aperçu exactement au même endroit. Elle s'est précipitée pour aller serrer le «Hugger» dans ses bras. Elle me demanda ensuite si j'avais de l'argent afin qu'elle puisse lui laisser un pourboire. Dès que je touchai

à mon portefeuille, il s'approcha de moi et me demanda «Puis-je vous offrir un câlin ?» J'acceptai à contrecœur et reçus l'étreinte la plus réconfortante qu'il m'ait été donné de toute ma vie. J'y songe encore de temps à autre (cinq mois plus tard) et nous planifions un autre voyage à Montréal l'an prochain, et un autre câlin. Nous avons décrit à nos amis le don que vous avez d'égayer nos journées ; depuis cet instant, nous pensons continuellement aux différentes façons d'ensoleiller les jours des autres personnes. Ce câlin nous a fourni l'inspiration nécessaire pour apporter un peu plus de beauté à ce monde.

Svp, n'arrêtez pas d'offrir vos câlins ; vous faites réellement une différence directement et indirectement. Merci d'avoir transformé un sceptique en un philanthrope!»

- Eric R., Pennsylvanie, É-U

Ce témoignage et tous les autres dans ce livre ont été choisis parmi les nombreux qui figurent sur mon site Internet www.monsieurcalin.com.

L'aventure commence

Je suis un artiste-interprète et, en tant qu'artiste, je crois que mon rôle dans la société est d'être un catalyseur social à travers lequel la nature humaine sous toutes ses forme peut être éclairée. Je veux inspirer la réflexion, l'action et le changement à l'intérieur des individus et de la société. Comme artiste, j'aspire à exprimer ma sagesse de vie par mon art et créer l'art avec ma vie. Je suis un homme à qui, par la grâce de Dieu, on a offert une deuxième chance de transformer sa vie, vide de sens et remplie de regrets amers, en un périple significatif et édifiant. J'ai dû passer par l'humilité, l'acceptation, le pardon, puis le lâcher-prise… pour finalement obtenir l'inspiration qui me permettrait de découvrir la beauté, la puissance et la sagesse de l'amour-compassion inconditionnel.

En vingt ans de carrière dans le domaine du cinéma, de la télévision et du théâtre, j'ai rarement senti que ma «vocation» affectait les gens de façon positive tel que je l'aurais espéré. Trop souvent, les rôles qu'on m'offrait étaient de nature intense et dérangeante. J'étais devenu tellement apte à exprimer le côté sombre de l'humanité que cela devint ma marque de commerce. Avec le temps, cette obscurité s'insinua dans ma vie personnelle, je me sentais déchiré à l'intérieur. Le conflit grandissant entre mes idéaux et la façon dont je gagnais ma vie créait une constante agitation dans mon esprit et dans mon cœur. Aux yeux de mes pairs, je semblais confiant, paisible et habitué au succès, pourtant l'insatisfaction et le vide étaient devenus mes constants compagnons de route. Marinant dans l'amertume de mon être divisé, une profonde tristesse m'engloutit jusqu'à ce que je ne puisse plus fuir la réalité de la vie que je m'étais créée.

Pendant des années j'ai dérivé sans but, pataugeant dans mon mécontentement et flottant d'un projet médiocre au prochain, d'une relation amoureuse déchirante à une autre. Je me suis égaré de ma vraie nature et conséquemment mon potentiel comme artiste, comme partenaire de vie et comme être humain restait non-réalisé. Les jours passaient et cette sensation d'impuissance m'était tellement insupportable que je devenais de plus en plus misérable. Je me sentais impuissant devant ma situation et trop souvent une colère incontournable s'emparait de moi. Même si le désir d'une vie plus profonde et plus significative brûlait au fond de mon cœur, je ne savais que faire pour changer ma situation.

Je ne suis pas braillard de nature ; je suis plutôt du genre à faire du mieux que je peux avec ce que j'ai. Pourtant, certains jours, le masque de la civilité craquait et je me retrouvais en sanglots incontrôlables ou je déchargeais ma colère. C'était devenu chose commune pour moi que de lancer ma bicyclette aux véhicules qui avaient osé me couper le chemin. Je haïssais la rage qui s'emparait de moi. Je commençais même à la craindre. C'était difficile de m'accepter en tant que personne malheureuse et colérique et je savais que si je ne changeais pas ma façon d'être, je finirais à l'hôpital, en prison, en institution ou même les trois. Il fallait également accepter que mon état d'être fût la cause directe de tous les événements qui se manifestaient dans ma vie. J'attirais dans ma vie quotidienne les situations et les gens qui reflétaient mon état intérieur : désaccord, peine, crainte, colère et vulnérabilité.

Le premier pas

Le premier pas vers l'amélioration des conditions de ma vie s'est effectué dès que j'eus accepté d'en prendre la pleine responsabilité. En fait, un bon matin, pédalant en direction de la maison et suite à un autre incident orageux, j'ai réalisé que je ne pouvais passer ma vie à lancer ma bicyclette. La colère que je ressentais n'avait rien à voir avec les autos et les conducteurs mais était liée au mécontentement que j'éprouvais face à ma vie. Si je voulais que les choses changent, il fallait que j'effectue moi-même ces changements. Une fois débarrassé du blâme et de la culpabilité, je pus commencer à chercher à l'intérieur de moi l'origine de ma colère.

Suite à cette prise de conscience, j'ai découvert que je n'avais pas assumer un événement traumatisant de mon enfance durant lequel j'avais presque perdu la vie. En fait, en voulant me faire peur, quelqu'un avait failli me noyer et les répercussions de cette après-midi fatale continuaient d'affecter le cours de ma vie. Durant ce moment d'abandon forcé, j'ai été tiré des confins de mon corps puis amené dans un univers de lumière étincelante. Une aura lumineuse et apaisante par son réconfort fit disparaître mon traumatisme, ma peur et mon besoin et les transforma en un sentiment de satisfactionintense relié au seul fait d'exister. Depuis, cette expérience demeure gravée au fond de mon âme. Enveloppé par cette Lumière divine, je savais que j'étais revenu chez moi, je me sentais pénétrer par la Présence de Dieu et transformé en une énergie d'amour et de lumière. Je flottais dans un riche silence de compréhension absolue. Mais mon temps n'était pas venu et mon esprit regagna mon petit corps apeuré.

J'étais dès lors hanté par ce moment, je ne pensais qu'à retourner chez moi, vers cette Illumination divine enveloppante. Des dizaines d'années plus tard, ce désir qui me brûlait encore aussi férocement se transforma en un donjon humide, froid et obscur au plus profond de mon être, où je titubais, enchaîné à l'apitoiement et au découragement. Aveuglé par ces ténèbres, je persistais toutefois dans ma recherche vers la lumière. J'ai longtemps tenté de me guérir par divers moyens dont plusieurs thérapies, des livres de pensées positives, des guides spirituels, des expériences sensorielles, la méditation, la solitude, l'hédonisme, bref n'importe quoi pour apaiser ma souffrance. Tranquillement, j'ai commencé à voir la lumière au bout du tunnel et j'ai pris conscience de ma réalité. J'ai compris que je devais chercher les réponses à l'intérieur de moi plutôt qu'à l'extérieur. Pour qu'un changement significatif puisse se produire, je devais prendre la responsabilité de ma vie. Mais comment ? Qu'est-ce que cette responsabilité impliquait ? J'avais non seulement besoin de changer ma vie mais aussi de la restructurer complètement, de réévaluer mes priorités et de ranimer ma confiance en moi et ma foi en Dieu, pour ensuite vivre en accord avec cette foi. Il devint clair que je devais concilier travail, convictions personnelles et évolution spirituelle, si je voulais un jour atteindre l'harmonie et le bonheur.

Il m'a fallu trente-cinq ans pour faire la paix avec le fait d'être revenu dans mon corps après avoir touché le Divin – pour réaliser que je n'avais pas été rejeté par Dieu et condamné à vivre dans un corps affamé, nécessiteux et voué à la décomposition. J'avais au contraire été choyé en recevant certains dons, ceux de la compréhension, de la compassion ainsi qu'une immense capacité d'aimer. Ce qui manquait le plus à ma vie était un sens et un objectif et par la grâce de Dieu, l'objectif significatif est venu à moi dans un moment des plus favorables : alors que je me tenais debout au milieu d'une place publique.

La place publique

En 2004, l'industrie du cinéma anglophone au Québec subissait un dur coup et était presqu'à la veille de fermer ses portes alors que moi, acteur affamé, je recherchais un public généreux. Assoiffé d'attention et d'inspiration, je recherchais un moyen de faire une vie décente tout en ayant du plaisir et en utilisant ma créativité. Depuis vingt ans, je travaillais comme acteur et je n'avais pas l'intention de laisser une industrie instable m'empêcher de vivre par ma créativité. Je décidai donc qu'il était grand temps pour moi de relever mes manches et de créer mon propre emploi, de créer mon art.

Plus tôt cette année-là, Jade, ma compagne de vie, m'avait avisé que le Cirque du Soleil faisait passer des auditions. Malgré les années que j'avais consacrées à m'entraîner sous la direction de l'un des plus grands maîtres européens de théâtre physique, le regretté Jacques Lecoq, j'étais peu enclin à passer l'audition— cela représentait plusieurs mois intensifs de préparation et d'entraînement et je ne savais pas si j'étais prêt à investir toute cette énergie. Aujourd'hui, je suis extrêmement reconnaissant envers Jade pour sa douce insistance. Ayant fait le premier pas, ma passion pour le langage de l'expression corporelle refit rapidement surface. L'inspiration me venait, je donnai même naissance à des personnages étranges et amusants.

Ma présentation au Cirque fut très bien accueillie, mais je ne trouvai pas ma place au sein de leur monde merveilleux. Néanmoins, l'expérience m'avait ouvert à un tout autre monde : celui de la performance de rue, les racines mêmes du Cirque du Soleil.

Au lendemain de l'audition, je me suis rendu à la Ville de Montréal pour acheter un permis d'amuseur public et sans plus de cérémonie, je me suis lancé vers l'inconnu. Attiré par le style et l'élégance des années 1900, j'enfilai un complet de lin vert bouteille, une chemise à haut col couleur crème, un gilet brun clair, une cravate de soie et des souliers à bouts golf. Je glissai une fleur jaune au revers de ma veste ; un chapeau vert clair couronnait le tout. Puis, j'ajoutai trois éléments à mon personnage sans nom. Premièrement, une bague d'or de mon grand-père représentant un rubis monté sur deux mains – pour me souvenir que j'étais le seul à tenir mon cœur dans mes mains. Deuxièmement, j'attachai autour de mon poignet un mala tibétain fait d'os de buffle (perles de prière bouddhiste) pour me rappeler que chaque moment de ma vie était sacré et précieux et méritait d'être traité avec attention et compassion. Le dernier objet était un chapelet en bois de rose que ma mère m'avait offert et que je plaçai autour de mon cou pour me souvenir du pouvoir intérieur christique qui habitait mon cœur, soit l'amour inconditionnel et le pardon. Attrapant au vol un parapluie à motifs angéliques et une valise de cuir délabrée, je glissai mon courage sous mon bras et m'engageai dans les rues pavées du Vieux-Montréal vers ma destinée.

Le rôle d'amuseur public était nouveau pour moi et mon intention était de rendre visite à quelques personnages bizarres de parodies théâtrales que j'avais développés avec les années et que je venais justement de présenter au Cirque du Soleil. J'espérais que mon spectacle, pour le moins inhabituel, captiverait le public et le convaincrait de déposer un dollar ou deux dans mon chapeau. Je voulais toutefois faire plus que divertir. Je voulais défier mon public en lui offrant une performance artistique qui provoquerait non seulement la réflexion mais qui ferait aussi vibrer les émotions.

Je n'avais jamais travaillé dans la rue auparavant et j'avais peur. Peur de la défaite, peur de l'humiliation... en fait j'avais peur de tomber en pleine figure devant une foule exigeante et de rentrer à la maison sans un sou. Un amuseur public doit avoir du courage, de la force intérieure et une carapace dure. Je me devais également d'être amusant, attachant et totalement authentique si je voulais offrir un divertissement original, intelligent et captivant. Il avait toujours été difficile pour moi de laisser sortir l'enfant qui se cachait en moi. Je pouvais être très timide à certaines occasions mais il fallait maintenant faire face à mes résistances et à mes peurs afin de redécouvrir l'enfant affectueux et joyeux que j'avais jadis été, et ainsi donner une performance qui vient du cœur.

J'ai donc fait mon chemin jusqu'à la Place Jacques-Cartier, dans le Vieux-Montréal. La place, enjolivée par des galeries, des boutiques et des petits cafés pittoresques, était bondée par les résidants du quartier, touristes, caricaturistes, peintres, musiciens et amuseurs publics de toutes sortes. Armé de patience, je me suis trouvé un petit coin en haut de la côte, où je pus déposer ma valise pour exercer mon divertissement.

Je suis demeuré immobile un certain temps, ne sachant pas trop comment débuter, comment attirer la foule pour qu'elle s'arrête, comment garder son attention et aussi comment demander de l'argent. Mais pour l'amour ! Comment diable un amuseur public pouvait-il faire tout cela ? Toutes ces questions et bien d'autres affluaient dans mon cerveau jusqu'à ce que je me retrouve submergé d'incertitude et d'insécurité. Les gens arrêtaient pour m'observer et se questionnaient sur mes intentions. Le désir de divertissement brillait dans leurs yeux mais je ne pouvais agir. Je marchai de haut en bas, de long en large pendant une bonne heure ou deux, tentant de retrouver mon courage, mais en vain. Jour après jour, je suis retourné au même endroit, prêt à performer mais chaque fois, je repartais, embarrassé par mon manque de courage.

J'étais frustré et désappointé d'être aussi timide et de vivre autant d'insécurité. J'étais pourtant un comédien d'expérience, ceci aurait dû être un jeu d'enfant pour moi ! J'avais découvert que la rue était un terrain de jeux difficile qui comportait ses propres règles et comme dans le temps des gladiateurs, c'était la foule qui décidait sur-le-champ si tu allais survivre ou mourir, par un simple mouvement du pouce vers le haut ou vers le bas. J'étais déjà mort mille fois et je n'avais pas encore commencé.

Perdre mon courage, trouver mes câlins

Une semaine plus tard, je confiais ma frustration liée à mon manque de courage à ma sœur Annik. Comme si c'était la chose la plus évidente qui soit, elle me dit : «Pourquoi n'écris-tu pas sur un tableau «J'ai perdu mon courage», et puis tu t'assieds sur ta valise et tu attends que quelque chose arrive ? Si tu es patient, quelque chose va inévitablement se passer.» Quel éclair de génie ! Excité, je la remerciai, la serrai dans mes bras et disparus. Ce même après-midi, je retournais sur la place publique armé de vigueur, d'inspiration et d'un petit tableau pour écrire. J'ai passé le reste de la journée, assis sur ma valise dans une immobilité absolue, tel une statue vivante, à côté d'un écriteau qui proclamait ma perte de courage.

Les gens étaient captivés par l'audace de mon action, ou plutôt par mon inaction. En retour, j'étais stupéfait par leurs réactions. Ils arrêtaient, m'observaient, venaient me parler pour m'encourager, m'offrir des conseils ou du soutien. Certains ont même laissé de l'argent dans ma boîte. Je les remerciais silencieusement et changeais de posture.

Je réalisais que le simple fait de me tenir immobile était un divertissement en soi et que mon tableau vivant touchait les gens. Plusieurs semblaient se reconnaître à travers ma solitude. Chaque jour apportait un nouveau commentaire sur mon écriteau et un peu plus de courage dans mon cœur. Lentement, je suis passé de l'immobilité à l'action, improvisant des situations avec les passants. De temps à autre, je tentais une improvisation. Je commençais réellement à m'amuser, alors que de plus en plus de gens s'attroupaient autour de moi pour apprécier ma folie espiègle. C'est ce que c'était – une folie drôle, sans retenue. Une folie qui semblait amuser et fasciner les gens. Parfois, lorsque la timidité ou l'insécurité me gagnait, je battais simplement en retraite dans un autre moment d'immobilité silencieuse.

Avec le temps, ma confiance grandit et je devins de plus en plus réceptif à l'inspiration. Les gens commençaient à apprécier mon divertissement et revenaient tous les jours pour découvrir ce que j'avais inscrit sur mon propre tableau et voir quel amusement j'avais à leur offrir. Puis, par un beau matin ensoleillé, alors que je marchais vers la Place, j'aperçus le tableau-menu d'un restaurant qui annonçait ses «Spéciaux du Jour». Je n'en fis aucun cas jusqu'au moment où je m'apprêtais à écrire une pensée inspirée sur mon tableau. Je pris soudain conscience de ma grande découverte : je pouvais moi aussi offrir un spécial du jour ! Mais quoi ? Puis l'idée me vint. J'adore serrer mes amis dans mes bras, les embrassades sont source de réconfort et elles sont gratuites. Je décidai donc que «Câlins Gratuits» serait mon spécial du jour.

Je n'avais pas réfléchi aux conséquences de ma proposition ou considéré si j'étais même capable de serrer dans mes bras tous les gens qui se présenteraient devant moi. Cela semblait tout simplement la meilleure chose que je pouvais faire à cet instant et en rétrospective, je suis convaincu que ce l'était.

La réponse fut instantanée. Les gens s'arrêtaient brusquement ! Ils semblaient abasourdis, surpris, amusés et même stupéfaits à la vue d'un homme élégamment vêtu, debout dans une immobilité absolue, les bras grands ouverts, offrant gratuitement des étreintes. Quelques-uns s'approchaient lentement pour m'examiner attentivement et finalement réaliser que ce qu'ils voyaient était bien réel. D'autres restaient plutôt à l'écart, espérant que quelqu'un tenterait l'aventure. Les plus courageux - ou les plus osés ? - s'élançaient, confiants, dans mes bras grands ouverts. Ceux qui s'étaient livrés à cette expérience en ressortaient heureux et agréablement surpris par la sincérité de mon étreinte. Ce matin-là, la presque totalité des individus, qu'ils se soient laissés tenter par l'expérience ou qu'ils aient simplement regardé la scène à distance, sont repartis avec un sourire joyeux sur le visage et un peu de légèreté au cœur.

Au cours des semaines qui suivirent, il devint clair à mes yeux que donner des câlins apportait beaucoup plus de bien-être aux gens qu'un simple divertissement : mes actions avaient un effet positif sur leur état intérieur. Ces témoignages de sourires appréciateurs, de rires du cœur et d'expressions de bonheur, de même que les étincelles de ravissement qui illuminaient leurs yeux m'apportaient un bonheur peu commun, un bonheur que j'avais rarement eu l'occasion de ressentir dans ma vie d'artiste. Jusqu'alors je n'avais jamais réalisé que de donner du plaisir aux autres m'apporterait tant de joie. Dorénavant «Câlins Gratuits» seraient au cœur de ma performance.

Un mois plus tard, je serrais dans mes bras plusieurs centaines de personnes par jour, toute la journée et chaque jour. En réponse aux nombreuses personnes qui désiraient savoir qui j'étais et pourquoi je donnais des embrassades à des étrangers, je pris la décision de créer un site Internet qui donnerait satisfaction à leur curiosité grandissante. Jade, dans sa sagesse intuitive, a suggéré un nom parfait pour mon personnage et mon site Internet. Ce fut simple, elle dit que j'étais quelqu'un qui donnait des «hug» donc un *Hugger,* et que j'étais un artiste de rue, un amuseur public, donc un *Busker.* De là est né le terme «Hugger Busker» ! Depuis ce temps, beaucoup de francophones m'appellent «Monsieur Câlin», j'ai donc décidé d'adopter ce nom chaleureux en français. Sa mission consistait à être charmant et joyeux et à donner des câlins chaleureux. La création du personnage et du site Internet s'avéra une excellente décision puisque cela me permit d'acquérir une identité vérifiable, rendant ainsi mes actions plus légitimes aux yeux du public. Je devais négocier constamment avec le sentiment de méfiance qu'éprouvaient les gens à l'égard des étrangers accueillants, particulièrement lorsque ces étrangers offraient quelque chose d'aussi intime qu'un câlin. Une touche de légitimité était donc grandement appréciée. Ce site allait également représenter pour moi un moyen facile de documenter mes aventures de câlineur public, par la présence d'un journal auquel on ajouterait des photos et des témoignages comme celui-ci:

«Vous êtes d'une inspiration tellement sincère. Vous avez touché profondément notre groupe qui était de passage à Montréal en mission pour une semaine. Aussi gratifiant que cela puisse être de servir les gens, vous avez définitivement été le point culminant de mon voyage et je sais que vous avez fait une impression phénoménale sur l'une de nos jeunes. Au retour, elle rayonnait et ne pouvait s'empêcher de parler de votre câlin. Jusqu'à maintenant, nous n'avions pas réalisé combien cette personne était sensible. Vous ne l'avez pas seulement changée mais vous avez également touché chacun des membres du groupe à travers elle et par vos étreintes formidables et authentiques.»

- Krystal S., Kansas, É-U

Apprendre à sourire

Depuis le début de cette aventure, j'ai tenté de me laisser inspirer et guider par les gens et les événements autour de moi. Lorsque le découragement me guette, je vais lire sur mon site Internet les témoignages de gens à travers le monde. Ces écrits m'inspirent, me font parfois rire, parfois pleurer mais peu importe, ils me poussent toujours à poursuivre mon offrande de câlins.

Un jour, un homme est passé et a remarqué que j'étais très pensif. Il m'a dit : «Vous êtes trop sérieux, vous devriez sourire.» Je l'ai pris au mot et j'ai commencé à sourire plus souvent. Une autre fois, une jeune femme me suggéra de prendre un moment de repos parce que j'avais l'air fatigué. Elle me dit : «Ne t'inquiète pas, ça me fera plaisir de donner des câlins à ta place.» J'acceptai son offre et m'installai à proximité, sur l'herbe, afin d'y faire une petite sieste pendant qu'elle se régalait à offrir des embrassades. Je suis ensuite retourné à mes câlins, reposé et plein d'énergie, tandis qu'elle a quitté, heureuse, le sourire fendu jusqu'aux oreilles. Ces expériences, ainsi que de nombreuses autres, m'ont appris que les gens qui croisaient ma route étaient des messagers, envoyés pour me guider. Il s'agissait simplement de les écouter.

Rester toute la journée immobile et en silence entre chaque câlin était difficile, mais pas autant que les gens se l'imaginaient. Mes années de méditation, d'arts martiaux, de yoga, ainsi que la pratique de la pleine conscience m'avaient donné l'endurance physique, le tempérament émotif et la présence intérieure nécessaires pour me connecter aux forces de la Terre Mère. Ma respiration était ma source de force, l'immobilité m'apportait le silence et ce silence ouvrait mon cœur à la présence de l'Amour divin en moi.

C'était la première fois dans ma carrière que mon travail s'harmonisait de façon cohérente avec mes pratiques spirituelles et mes aspirations personnelles. Depuis que j'avais exploré les méditations de pleine conscience et d'amour-compassion dans les années '90, je m'étais mis au défi d'intégrer cette pratique dans ma vie personnelle et ma vie d'artiste.

Je ne suis pas une personne religieuse. Je ne me conforme à aucun dogme et à aucun ordre mais je suis toutefois un homme profondément spirituel. Je crois que l'Essence d'un Dieu d'amour et de compassion réside en chacun de nous, que cette Essence est source de toute bonté et de toute abondance et que pour évoluer en tant qu'êtres émotionnels et spirituels, nous devons honorer cette Force divine en recherchant Sa Sagesse et en s'y soumettant, pour que la lumière d'amour et de bonté se reflète dans chacune de nos pensées, paroles et actions. Et avec certitude, j'ai été à même d'expérimenter mes croyances !

Mon numéro avait beaucoup plus de profondeur et d'impact que je l'avais imaginé. Les innombrables heures que j'ai passées à partager mes câlins chaleureux ont affecté directement ma vie intérieure. Au début de l'été, j'étais un acteur sans boulot devenu amuseur public afin de joindre les deux bouts. J'étais un homme rempli de tristesse et d'amertume qui trouvait difficile d'apprécier tout ce que la vie pouvait lui offrir. Mais lentement, à mesure que les jours filaient, avec chaque câlin partagé et chaque sourire offert, mon amertume s'est dissoute, ma tristesse s'est dissipée et mon âme souffrante a commencé à guérir. Chaque fois que mes bras s'ouvraient sur le monde autour de moi, mon cœur s'ouvrait également.

C'était pourtant loin d'être facile d'offrir des étreintes aussi authentiques et aussi spontanées les unes que les autres, particulièrement lorsque je prenais des centaines de personnes tour à tour dans mes bras. C'était très important pour moi de donner une attention et une affection entière et égale à chaque personne que je câlinais. C'est pourquoi j'ai décidé qu'après chaque étreinte, je placerais mes paumes au centre de ma poitrine, sur le chakra du cœur, afin de prendre un bref moment pour me reconnecter avec l'Essence divine en moi et pour exprimer ma gratitude. Puis, guidé par ma respiration, j'ouvrirais mes bras au monde une autre fois. C'est à partir de ce rituel que les cinq principes du câlinage sont nés : câliner avec respect, câliner sans condition, câliner avec cœur, câliner avec gratitude, câliner le moment. (Je décris ces principes en détails au chapitre 3 de ce livre.)

Le kaléidoscope de l'humanité

J'étais à la Place Jacques-Cartier sept jours sur sept, dix heures par jour et cela, pendant des mois ;

seules les journées d'averses intenses me gardaient à la maison. C'était un horaire épuisant mais que j'aimais. Offrir des câlins aux gens me donnait de l'énergie positive comme aucune autre activité ne pouvait le faire. C'était si excitant de regagner mon espace chaque matin pour étreindre et étreindre encore, que j'en oubliais la fatigue de mon corps. Je voulais vivre pleinement l'aventure, ne pas en perdre une minute. Je ressentais que de profonds changements s'effectuaient dans mon esprit et dans mon cœur. J'étais plus heureux, plus serein et plus sage de jour en jour. Je devenais entier. J'étais émerveillé par la beauté d'embrasser la vie et je n'en avais jamais assez. Mes intentions avaient aussi évolué : de celles de procurer du plaisir aux autres en échange de monnaie, à celles d'offrir de l'amour-compassion juste pour le plaisir de le faire. Plus mes intentions s'orientaient vers les autres, plus l'amour et l'abondance remplissaient ma vie. Câliner avec cœur était devenu de la manne pour mon âme. C'était ma joie, ma raison d'être! Alors, fatigué ou pas, je partais sous les nuages ou sous le soleil, pour expérimenter une autre journée extraordinaire.

Cela dit, mon aventure de câlineur public n'a pas été sans lutte ni sans défi. En dépit de la popularité de Monsieur Câlin, je devais constamment négocier avec les tempéraments cyniques, agressifs et malveillants de l'être humain. La dure réalité de la rue savait me mettre au défi ; c'était difficile pour mon amour-propre et pour ma confiance. Même si j'étais conscient des dangers de la rue, j'avais une innocence naïve qui m'habitait, la même qui me permettait de voir la vie en rose. Tout en étant une grande force, cette vision rosée représentait aussi la source de mes difficultés à accepter la laideur de l'être humain au même titre que sa beauté exquise.

Il y avait des jours où personne n'était intéressé à recevoir des câlins ; j'étais alors tout simplement ignoré, ce qui me décevait. Il y avait aussi ces fois où j'avais dû repousser des ivrognes agressifs qui voulaient me harceler et ce, dans les moments les plus inattendus ; ceci m'inspirait la crainte. Et encore, ces moments ou je devais faire face aux injures de mes camarades artistes qui se sentaient menacés par ma popularité et qui employaient leurs journées à inventer des façons de m'intimider et d'intimider mon public ; ceci me blessait profondément. Je devais aussi rester vigilent devant certains jeunes voyous en «rollerblades» qui tentaient de dérober mon argent au passage ; et ceci me rendait furieux. Finalement, je rencontrais à l'occasion des types rudes et odieux qui me soufflaient de la fumée au visage, me lançaient de la nourriture ou me tripotaient grossièrement et m'insultaient lorsque je tentais de leur résister ; ces gens testaient ma patience et faisaient ressortir le côté le plus obscur de ma personne.

Là, devant moi, défilait le kaléidoscope de l'humanité et j'étais prêt à serrer tout ce beau monde dans mes bras. Malgré mon ouverture de cœur et mes intentions pures, certains jours, ma patience atteignait sa limite. Je sautais alors les plombs et commençais à sacrer. À une certaine occasion, je me souviens même avoir chassé un délinquant de la place publique. Pas très aimant, je sais. Mais à cette époque, je combattais l'agression par l'agression et les injures par les injures; c'était le seul langage que je connaissais. Il semblait que ma générosité d'esprit et la bonté que j'offrais étaient trop pour certains et que ceux-ci se devaient alors de nuire à mes intensions honorables de quelque façon que ce soit. Je voulais croire que la bonté m'apporterait l'harmonie et la paix mais lorsque la discorde et la malveillance s'amenaient, j'étais plongé encore une fois dans un tumulte intérieur. J'avais de plus en plus de difficulté à accepter mes réactions dans de telles situations. Mon inaptitude à négocier harmonieusement avec les éléments adverses de la vie m'apportait tristesse et frustration. Dans un certain sens, je lançais toujours ma bicyclette aux voitures.

Sans la gentillesse des étrangers qui croyaient en mon action et sans l'appui de ma famille je n'aurais jamais réussi à passer l'été. Ma mère, mon père, Annik et Jade venaient faire leur tour régulièrement pour m'observer. Ils m'apportaient un sandwich, un morceau de melon d'eau, un Chai (thé indien épicé) frappé, ou simplement un peu d'affection. Leur présence et leur soutien m'ont permis de retrouver la force et le courage dont j'avais besoin pour persévérer et affronter les journées difficiles. Ceci m'a également permis de réaliser toute la beauté et la puissance de l'amour. Je leur suis éternellement reconnaissant et je savoure aujourd'hui leur présence constante dans ma vie.

L'étudiant de la vie

Je regrette mes moments de colère, d'agressivité et d'abus envers les autres, mais je réalise cependant que ces situations étaient des leçons nécessaires à mon apprentissage. Debout toute la journée, à la merci de la nature humaine, mon égo en prenait pour son rhume. D'un autre côté, c'était exactement l'expérience qu'il me fallait pour avancer. C'est à travers le côté sombre de mes semblables que j'ai appris à connaître le mien, à lui faire face, à le régler et à continuer ma vie avec un nouveau paradigme de pensées et de comportements. Comment pouvais-je ne pas aimer ces personnes ? Elles avaient été mes professeurs, mes guides, elles étaient entrées dans ma vie pour m'aider à reconnaître mes conflits et mes insuffisances, afin que je puisse évoluer en tant qu'individu. J'étais un bon disciple ; j'avais bien appris ma leçon et les incidents qui survenaient dans ma vie se concluaient de mieux en mieux. Il m'aura fallu un an pour embrasser tant le côté sombre que lumineux de l'être humain avec sérénité, appréciation, compassion et équanimité.

Il y a toutefois eu un moment déterminant dans mon évolution personnelle qui m'a aidé à trouver la paix intérieure et créer l'espace nécessaire pour que l'amour inconditionnel puisse s'épanouir. Je me souviendrai toujours de cette journée ensoleillée, c'était vers midi, une brise chaude soufflait légèrement; des employés du quartier se pressaient pour aller récupérer leur repas, certains étaient déjà installés sur des bancs prêts à l'engloutir. C'était l'une de ces fois où j'étais ignoré par la foule mais loin de m'ennuyer, je flottais joyeusement dans le silence, pleinement conscient de tout ce qui m'entourait. Les sons, les odeurs, ma respiration, les sensations que j'éprouvais à l'intérieur et autour de moi se confondaient de manière à ce que je ne puisse plus les distinguer. Je fusionnais avec mon entourage.

J'étais dans un état de non-jugement, debout sur mon tapis persan, à observer le flux de la foule autour de moi. Comme si j'avais retiré mes verres fumés, ma vision devint limpide et je commençai à me voir à l'intérieur de chacune des personnes qui passaient. Je pouvais voir mon moi triste, craintif, fâché, blessé, joyeux, préoccupé, égocentrique, macho, exubérant, distrait, anxieux et mon moi espiègle... Ces réflexions partielles de mon être passaient encore et encore. J'étais tous ces gens et ils étaient tous moi. L'emballage extérieur était différent mais le reste demeurait identique. J'étais stupéfait de voir ces multiples facettes de ma personnalité se manifester si librement devant moi.

À ce moment, je compris que la première étape pour arriver à m'aimer était de m'accepter dans ma totalité, inconditionnellement et sans jugement. Et que la première étape pour aimer les autres sans conditionss était de les accepter tel qu'ils étaient et non comme je souhaitais qu'ils soient. Ceci ne signifiant en aucun cas que je devais être d'accord ou que je devais aimer l'attitude d'autrui ou leurs choix de vie, mais simplement que je devais avoir de la compassion envers leur nature humaine, leurs souffrances et leurs luttes, parce que ces dernières représentaient également ma nature, ma souffrance et ma lutte.

C'était comme si on venait d'enlever un poids énorme de mes épaules, j'éclatai de rire. Les gens me regardaient d'une façon étrange mais je m'en moquais éperdument ; j'avais trouvé un goût de paradis et je comptais bien le célébrer ! La brise suivit la même direction que mon explosion de joie, je n'étais plus ignoré. J'ai partagé des câlins sans relâche pour le reste de la journée. À partir de ce moment, j'ai tenté d'approcher les gens ayant une difficulté avec l'intimité physique ou émotionnelle avec douceur et compréhension, au lieu de les critiquer et de le juger comme je le faisais auparavant. J'étais reconnaissant à Dieu d'avoir ouvert mon cœur et mon esprit à ce regard profond et j'espérais avoir la sagesse d'honorer le cadeau que représentait cette paix intérieure.

Le centre-ville

L'automne s'amenait à grands pas et je pris la décision de déménager mes câlins vers les complets et les jupes du centre-ville de Montréal. Je me disais que s'il y avait un groupe de personnes qui avait besoin de caresses, c'étaient bien les résidents du monde de la bureaucratie. Je suis arrivé tôt par un matin frais et ensoleillé pour m'installer près de l'entrée d'un complexe commercial de luxe, un endroit qui me semblait parfait. Je venais à peine de m'installer quand deux gardes de sécurité apparurent et, de façon agressive, m'ordonnèrent de reculer de cinq pieds derrière une ligne imaginaire sur le trottoir, prétendant que j'étais trop près de leur édifice. Qui peut argumenter avec la testostérone en uniforme! J'obéis donc.

Ces deux colosses étaient probablement un mauvais présage puisqu'à partir de cet instant la situation s'est dégradée. Plus le courant de piétons augmentait, plus le flot de revendeurs, de marchands, de prédicateurs et d'artisans s'accroissait. Vers midi, je me suis retrouvé, un parmi tant d'autres, installés sur le trottoir à offrir mes services et mes soucis. On y trouvait de tout : «Votre nom sur un grain de riz», des capsules de bouteille en bijoux, des portraits en peinture, des sculptures africaines, «Dieu vous sauvera si vous vous repentez», des belles minettes en patins à roulettes faisant la promotion d'un dentifrice, des mendiants piteux, des vétérans estropiés et moi, avec mon sourire joyeux et mes étreintes chaleureuses. Nous étions là sur le même trottoir, entassés les uns à côté des autres, rivalisant pour attirer l'attention des travailleurs pressés, tracassés et avides de remplir un vide intérieur insatiable avec des plaisirs matériels. En fin de compte, nous étions simplement une obstruction gênante pour ces gens qui recherchaient le calme pour apaiser leur insatisfaction. Je me disais qu'avec toutes ces vitrines, ces panneaux d'affichage et ces marchands ambulants qui attiraient l'attention des gens et leur portefeuille, je n'étais rien d'autre qu'une personne de plus qui tentait de leur soutirer quelques dollars à l'aide d'un concept émotif.

Puis, je distinguai à quelques mètres de moi un ancien premier ministre qui discutait avec l'un des plus importants financiers canadiens. Je fis alors ce que tout câlineur audacieux aurait fait : d'un ton sympathique, je leur demandai s'ils désiraient un câlin. J'eus alors droit à un regard dédaigneux et à un silence glacial, après quoi ils se sont éloignés. Leur réaction ne m'a pas surpris le moindrement ; en fait, j'aurais été très étonné qu'ils acceptent mon offre. Le mépris reçu en valait l'effort.

Dans les semaines qui suivirent, je suis retourné à plusieurs reprises au centre-ville pour donner des caresses mais chaque jour s'avérait aussi décevant que le précédant. Pas qu'il n'y avait personne pour accepter mes «hugs» mais c'était une minorité parmi des milliers. Ça ne valait pas l'énergie. Il fallait que je trouve une façon plus adéquate ou un meilleur environnement pour que les gens s'adonnent aux câlins. Ce qui m'attristait le plus, c'était de voir passer tous ces gens au regard malheureux, fatigué, avec des visages allongés, les yeux baissés et les épaules tirées vers l'intérieur. J'aurais voulu les brasser pour les réveiller, les sortir de leur stupeur, afin qu'ils s'arrêtent un seul instant pour admirer les beautés de ce jour. Je voulais qu'ils goûtent ce que j'avais à leur offrir. J'aurais tellement voulu serrer dans mes bras tous ces gens malheureux qui refusaient de reconnaître et de répondre à leur besoin d'amour et de tendresse. Un jour, quelqu'un m'a dit : «Si je vous prends dans mes bras, je risque fort d'éclater en sanglots et je ne peux me permettre une telle chose». Mais dans quel triste état est notre monde ! Je suis donc retourné à la Place Jacques-Cartier pour le reste de l'automne.

Même si mes expériences au centre-ville de Montréal n'ont pas été fructueuses, elles m'ont fait réaliser l'importance de ma quête. Le centre-ville incarne le personnage d'un maître séducteur dur et cruel qui attire de nombreux citadins et les rend vite esclaves de leurs habitudes égocentriques, de leurs inquiétudes et de leur style de vie frénétique. Ces gens n'ont peut-être pas été inspirés par M. Câlin mais moi j'ai assurément été inspiré par eux, assez pour écrire ce livre. Je me suis dit que si je n'étais pas capable de les toucher par mes câlins, je pourrais peut-être les atteindre par mes mots.

«C'est alarmant de voir comment nous pouvons être sceptiques face aux bonnes intentions. Nous pensons que tout a un prix et par surcroît, si quelqu'un nous offre gratuitement quelque chose, nous cherchons le piège, nous n'y croyons pas.

Un homme bien vêtu, debout, les bras grands ouverts, devant un tableau où on peut lire «Câlins Gratuits». Les affaires roulent au ralenti. La plupart des gens ne s'arrêtent même pas. Quelques-uns s'arrêtent pour lire le tableau, sourient, secouent la tête «Non !» et poursuivent leur route. Il en demeure néanmoins quelques-uns qui y croient. Certains vont s'arrêter pour embrasser l'étranger parce qu'ils distinguent clairement que cet homme consacre sa vie à une cause, celle de répandre la joie en offrant des jetons de compassion.

Que cet homme soit béni ! Il détient un secret que les foules passantes ignorent. L'action de l'amour est générée par une décision consciente d'avoir un impact positif. Un câlin est un geste physique d'amour, d'acceptation et une connexion primale fondamentale. Nous partageons notre condition humaine. Nous partageons ce monde. Ceci, nous l'avons en commun. Les sceptiques doivent ouvrir leurs yeux à la vérité, leur cœur à l'amour fraternel et leurs bras aux étreintes d'un gentilhomme.

Ceci est vraiment un acte de beauté humaine.»

– Joël C., Québec, Canada

Le texte précédent figure parmi quelques écrits qui ont été déposés dans la boite de dons de Monsieur Câlin. Le monde est rempli de sceptiques, espérons que mes actions arriveront à convaincre certains d'entre eux que les étrangers sont des amis, des amants ou des guides en attente d'être découverts.

Les vœux se réalisent

À la fin de l'été, je fût témoin de la puissance de la loi Universelle de l'attraction . Aussitôt que je ressentais un besoin – quelque chose à boire, à manger, une nouvelle fleur pour ma veste ou un encouragement amical, ce à quoi j'avais aspiré se matérialisait en-deçà de quelques heures. J'étais abasourdi par la fréquence et la régularité grandissante de cette occurrence. Une personne se présentait à moi et m'offrait un rafraîchissement, une fleur, de la nourriture ou des mots gentils.

À la même période, je mijotais l'idée de réaliser un petit documentaire sur M. Câlin et tous les gens fascinants qui venaient pour partager des étreintes. Un jour où je me sentais vraiment triste car l'été s'achevait et je n'avais documenté aucune de mes belles expériences, je me suis dit : «Si seulement je connaissais quelqu'un qui pourrait faire un vidéo pour moi, ça me rendrait si heureux». Le lendemain, une amie me rendait visite avec son nouvel amoureux qui, par hasard, était producteur de films. Il a adoré ce que je faisais et revint la fin de semaine suivante avec une petite équipe, pour prendre des séquences de M. Câlin en action.

Dès l'instant où j'ai pris conscience de la connexion qui existe entre mes désirs et leur manifestation, l'événement devint de plus en plus fréquent. Même si aujourd'hui je ne comprends pas bien ce phénomène, il continue de m'impressionner. J'ai découvert que si mon intention est dirigée vers autrui, qu'elle est empreinte d'amour et qu'elle ne cache aucune attente, c'est alors qu'elle se manifeste. Au contraire, si mon intention est de satisfaire mon amour-propre et que j'attends un résultat particulier, elle ne se manifeste pas. Alors maintenant, lorsque j'ai besoin de quelque chose d'important, je me tourne vers Dieu qui habite mon cœur et lui demande de me guider et dont j'ai besoin se matérialise sous une forme ou une autre. Je ne m'inquiète plus maintenant à savoir si mon désir va se manifester, parce que je sais dans mon cœur que si je m'abandonne au courant divin de la vie, les choses vont se produire exactement comme il se doit.

Le tournage du documentaire s'est bien déroulé dans les moindres détails et nombre de personnes et de situations merveilleuses et émouvantes sont survenues pendant que la caméra tournait. C'était comme si les meilleurs exemples de ce que j'avais vécu durant l'été reprenaient vie au cours de ces quelques jours de tournage. Le matériel capté était exceptionnel ! Malheureusement, l'aspect technique de la vidéo n'était pas d'assez bonne qualité pour la distribution commerciale. Néanmoins, il m'a permis de réaliser un dvd promotionnel de M. Câlin, de qualité satisfaisante.

La création de ce dvd m'a aussi fourni la motivation nécessaire à tenter d'obtenir un financement pour la réalisation d'un film documentaire qui aurait pour thème «les étreintes et les câlineurs publics dans le monde». J'entrepris donc la rédaction d'un synopsis pour ce documentaire. J'ai approché ensuite quelques maisons de production mais je me suis vite rendu à l'évidence : de nos jours l'attention est davantage portée vers les drames et les conflits que vers l'amour et les caresses. Ces refus m'avaient quelque peu désappointé mais je n'étais ni fâché, ni dérouté. C'était un peu comme si je m'y attendais. Je demeure aujourd'hui convaincu que ce documentaire verra le jour en temps voulu et que les bonnes personnes, guidées par leur cœur, se présenteront à ma porte, comme ce fût le cas avec mon livre.

Ces mois d'hiver passés à la création de ce synopsis n'ont pas été vains puisqu'ils m'ont amené à écrire cet ouvrage. Il semble qu'il y ait toujours un côté positif à une situation à première vue négative, dans la mesure où on est confiant que chaque instant est un pas vers notre accomplissement, qu'on en soit conscient ou non. Un pas en arrière ou un pas en avant, chaque pas a sa place dans mon évolution et je tente de l'accueillir avec le même enthousiasme.

L'arrivée du printemps me trouva en grande forme. Les mois d'avril et de mai avaient donné naissance à plusieurs fins de semaines chaudes et ensoleillées, ce qui me permit de recommencer à étreindre. L'hiver avait été long, sans câlins, seul assis devant mon ordinateur à rédiger et à réviser. Les quelques événements intérieurs auxquels M. Câlin avait été invité n'avaient été que des hors-d'œuvre pour me faire patienter jusqu'au festin estival. Cette pause hivernale m'avait également permis de réfléchir et d'assimiler les expériences de l'année précédente. Le processus de transformation intérieure nécessite un certain temps pour s'établir dans la psyché et ensuite pour se manifester en changement perceptible. Tel un bon vin, l'expérience doit maturer un temps avant d'atteindre son plein potentiel. L'hiver était enfin terminé, la neige avait disparu, les arbres bourgeonnaient, les fleurs se préparaient à éclore et j'étais fin prêt à serrer le monde entier dans mes bras.

Princesses, anges et sans-abri

Ma deuxième année a été une série d'aventures, les unes étranges, les autres farfelues, terrifiantes, merveilleuses, difficiles et puissantes. Chaque jour m'apportait un vaste assortiment de situations et de gens qui stimulaient et défiaient mon cœur, mon âme et mon esprit. J'avais beaucoup changé depuis un an ; je m'exprimais maintenant avec allégresse et légèreté, j'arborais un sourire chaleureux ainsi que des allures joviales. J'étais un homme heureux et sans soucis et cela transpirait dans mon attitude mais surtout dans mes câlins. La gratitude et l'appréciation que je ressentais face à ma vie se répercutaient dans mes actions. Les gens aussi réagissaient différemment ; un plus grand nombre était enclin à partager une accolade avec moi et, à leur surprise, ils demeuraient dans mes bras plus longtemps qu'ils l'auraient habituellement fait avec un étranger et même avec leur proche.

L'année débuta d'une façon très noble. En traversant la Place, Gérald Tremblay, le maire de Montréal, accompagné de Son Altesse Royale la Princesse Margriet des Pays-Bas, s'arrêtèrent devant moi. Je me suis humblement incliné devant elle en lui souhaitant la bienvenue dans notre belle ville. Sachant que serrer dans ses bras un membre de la famille royale ne convenait pas au protocole, je lui ai offert de baiser sa main, ce qu'elle accepta gracieusement. Avec respect et tendresse, j'ai déposé un baiser sur la main royale de la princesse qui se mit à rire de bon cœur. Après lui avoir souhaité une journée splendide, je suis retourné à mon état d'immobilité tandis qu'ils s'éloignèrent en souriant. Quelle excitation d'avoir embrassé la main d'une vraie princesse ! Le rêve de tout petit garçon, y compris celui qui se cache au fond de mon cœur. C'était une superbe façon de commencer l'année, non pas par un câlin mais par la réalisation d'un rêve.

Quand j'ai interrogé Jade sur la façon dont elle percevait mon évolution personnelle depuis les deux dernières années, elle me répondit en ces termes : «Ta première année était une année de transformation personnelle tandis que ta deuxième année a été une année de transmutation spirituelle». Mon attitude face à la vie évoluait en même temps que mes étreintes. Elles devenaient davantage spirituelles, reflétant des qualités de guérison. Durant mes fréquentes périodes d'immobilité, je pratiquais ou bien la méditation metta (méditation de l'amour-compassion) ou bien le Reiki, un art qui favorise la circulation des énergies curatives. Les jours passaient et la puissance et l'efficacité de l'énergie qui circulait en moi progressaient. Je pouvais sentir ses vibrations à partir de la terre à mes pieds, en montant vers le cœur, la tête et les mains. Comme pour les étreintes, je n'avais pas entrepris consciemment d'explorer ces disciplines ; j'avais été naturellement attiré vers elles. Étreindre quelqu'un était devenu une toute autre expérience pour moi et pour les personnes que je serrais dans mes bras également. Ce geste tenait maintenant moins du spectacle que du profond désir de partager la puissance nourrissante de l'amour avec le plus grand nombre de gens possible. Je touchais le cœur des étrangers et les étrangers touchaient mon cœur à leur tour.

Une femme m'approcha un matin pour partager une étreinte. Elle me dit qu'elle était l'accompagnatrice de la Chorale Amadeus et me demanda si les filles de la chorale pouvaient chanter pour moi car elles voulaient démontrer leur appréciation pour mon art chaleureux en partageant leur art avec moi. Comment aurai-je pu refuser une offre pareille ? Je me tenais immobile, les bras grands ouverts, lorsque je sentis un groupe de personnes se placer derrière moi. Je fus alors gratifié de la version la plus inspirante et sublime que j'avais jamais entendue d'un Alléluia. Des voix angéliques retentissaient dans la Place Jacques-Cartier. Ces anges avaient été envoyés pour remplir mon être d'amour et de grâce et me rappeler que j'avais aussi droit à l'amour inconditionnel des étrangers. Je fus tellement touché par le fait que ces jeunes chanteuses donnaient leur souffle et leur cœur pour m'apporter de la joie que les larmes se sont mises à couler sur mon visage. J'expérimentais l'un de ces trop rares moments de la vie où Dieu révèle son extraordinaire beauté dans toute sa splendeur. Quand elles eurent terminé, je me suis retourné lentement pour les remercier. Il y avait là devant moi pas moins de vingt adolescentes, vingt anges arborant de magnifiques sourires. L'émotion fut si intense que les mots peinaient à sortir de ma bouche. Je plaçai alors simplement mes mains sur mon cœur et m'inclinai devant elles avec respect et humilité. J'avais tant de gratitude à leur égard et à l'égard de Dieu de m'avoir offert un moment aussi profondément émouvant. Je réalisai à cet instant que chaque étreinte pouvait devenir un geste de gratitude et de révérence pour l'esprit de la vie. Cet événement a eu un tel impact sur moi que même aujourd'hui, en écrivant ces mots, les larmes me montent encore aux yeux.

Je me fais un devoir de ne jamais discriminer les personnes que j'étreins ; indépendamment des facteurs tels la classe sociale, le standing économique, l'âge, les capacités mentales ou physiques, la race, les croyances, etc... tout le monde est bienvenu dans mon cercle d'amour et de réconfort. Le seul critère est d'être humain, même si je fais parfois des exceptions pour certains gentils animaux et certains êtres d'autres univers. Autour de la Place Jacques-Cartier, on trouve plusieurs maisons d'accueils et des «soupes populaires» pour les sans-abri. Je rencontre quotidiennement ces pauvres à l'âme généreuse. Plusieurs d'entre eux ont une allure débraillée, sont sales et malades mais nous devons regarder au-delà des apparences et se souvenir qu'ils méritent également notre respect et notre gentillesse. Certains viennent chercher des câlins, d'autres arrêtent pour bavarder et quelques-uns encore pour recevoir de l'énergie curative. L'année précédente, Jade, qui est maître Reiki m'avait initié à la pratique de cet art et je devins un praticien certifié. Pour conserver l'esprit de cet art de guérison, je ne demande pas d'argent en échange d'une intervention que j'offre uniquement à ceux qui sont le plus dans le besoin, les sans-abri. La pratique du Reiki tient en effet ses origines des taudis de la ville de Tokyo, où elle était destinée aux pauvres et aux démunis.

Lorsque je serre dans mes bras et avec la même tendresse un sans-abri, vêtu pauvrement, juste après un couple élégant, il est amusant de voir la surprise et le trouble sur les visages des passants. Mais je sais que ces gens, qui n'ont qu'un bout de trottoir comme lit, apprécient mon attitude respectueuse. Ils sont peut-être démunis, mais cela n'affecte en rien l'amour et le respect qu'ils méritent. Cela m'attriste de constater qu'ils sont continuellement mis de côté et rabaissés par des mots ou des regards. Quelques-uns ont même déposé de la monnaie dans ma boite de dons ou laissé un fruit à proximité de celle-ci. Je sais qu'ils partagent leur infime fortune avec moi. Au début, je tentais de les en dissuader, mais voyant que cela les rendait heureux, j'ai réalisé que ce serait irrespectueux de ne pas accepter leur générosité.

Ces belles âmes m'enseignent à vivre et à partager respectueusement avec tous les êtres humains. Leur geste est pure générosité. C'est certain que j'accepte volontiers un billet de cent dollars venant d'un homme riche, mais recevoir une pomme d'un sans-abri n'a pas de prix. Nous observons aujourd'hui un si grand nombre de mendiants au centre-ville que nous les ignorons. Je ne les ignore plus. Si je ne peux leur donner de la monnaie, je leur offre un accueil chaleureux afin de leur laisser savoir que même si je ne contribue pas à leur cause, je suis conscient de leur présence. Reconnaître l'existence de quelqu'un peut valoir tellement plus qu'un vingt-cinq cents lancé avec dédain dans une casquette..

Merveilleuse inspiration

Le Vieux-Port de Montréal se trouve juste au bas de la côte menant à la Place Jacques-Cartier. Je décidai de me procurer un autre permis d'amuseur public afin de pouvoir travailler également dans ce secteur. La décision fût coûteuse mais s'est avérée très sage puisque cet endroit m'a permis d'attirer les plus grandes foules, de partager le plus grand nombre de câlins guérisseurs et de vivre les événements qui ont mené à ma transmutation spirituelle.

Durant les mois de juin et juillet, tous les mercredis et samedis soirs, ont lieu à Montréal, au bord de l'eau, des compétions internationales de feux d'artifces. Tous les étés, des dizaines de milliers de gens se rassemblent au Vieux-Port pour s'émerveiller devant ce spectacle féérique. On m'avait attribué un espace de choix à l'entrée du Port, sous un énorme lampadaire où des centaines de personnes pouvaient me voir à l'œuvre.

Je faisais face à la Madone perchée sur le dôme de l'église de Notre-Dame de Bonsecours qui, les bras grands ouverts, offrait un réconfort à tous ceux qui en avaient besoin. Je ne sais si c'est la proximité de l'eau, le fait de faire face à l'est, ou mes deux mois de méditation intense sur l'amour-compassion (méditation metta) qui ont été source d'élévation énergétique, mais durant ces soirées, ma capacité de combler mes semblables avec des vibrations d'amour et d'atteindre des états d'extase était remarquable. La tendresse grandissait dans mon cœur et, comme une marée incessante, un rythme de caresses et d'immobilité, de silences et de béatitude s'installait en moi.

Ces soirées estivales m'ont permis de partager des centaines et des centaines de câlins profondément empreints d'amour. À plusieurs occasions, il m'a même semblé que le temps s'arrêtait pendant que nous fusionnions dans l'unité de l'étreinte. Chaque embrassade devenait une expérience merveilleuse et enrichissante, peu importe sa durée ou sa forme. J'avais réussi à effectuer un lâcher prise sur le plan de l'égo, du jugement et des attentes. J'embrassais le moment et la vie m'embrassait à son tour en réponse à mon acte d'amour. À certains moments, les personnes que je prenais dans mes bras devenaient une partie de moi et nous fusionnions ainsi en un, unissant nos respirations et nos énergies, créant une respiration et une énergie nouvelles. C'était extraordinaire de sentir les vibrations d'amour quitter mon cœur pour pénétrer le corps de l'autre et ensuite ressortir dans mes mains qui reposaient sur leur dos. J'aurais pu rester dans cette position pendant une éternité ! Le confort, la chaleur, la communion de l'esprit humain et la sensation toute englobante de l'unité partagée était une expérience exquise et sans précédent. Comme c'était nouveau pour moi, je ne savais pas vraiment quoi faire, je me contentais donc d'étreindre. Tout comme le cœur d'anges qui avait entonné l'Alléluia avait été sublime, ces caresses lumineuses étaient entièrement divines.

Je savais qu'elles m'affectaient profondément, mais quel effet une étreinte chaleureuse pouvait-elle réellement produire sur quelqu'un ? Je me suis souvent demandé ce qu'il advenait des gens après notre échange de câlins. Est-ce que ce moment de tendresse affecte leur vie d'une quelconque façon ? Est-ce possible que ce geste d'amour altère leur humeur ou embellisse leur journée ? Est-ce que leur perception de la vie a pu être changée de façon significative suite à cet échange ? Les seules réponses dont je dispose sont celles qui se retrouvent dans le livre d'invités de mon site Internet. Ces messages touchants, laissés par des gens qui ont expérimenté l'échange de câlins, m'ont appris que mes actions chaleureuses forcent une pause pour la réflexion et ont aussi permis à certains de réévaluer leur crainte face à l'intimité humaine et à leur désir de partager l'amour-compassion avec autrui. Le message qui m'a toutefois vraiment fait réaliser la puissance de vie que renferment mes câlins est celui d'une jeune femme :

«Je veux simplement que vous sachiez l'importance que vous avez eue dans ma vie. Ces derniers mois ont été, essentiellement, un enfer pour moi. Un soir, en promenade dans le Vieux-Montréal, j'ai aperçu un type drôlement attriqué qui offrait des câlins. Normalement je hais qu'on me touche, néanmoins cette fois-là je suis allée pour une de ses caresses... Vous avez changé ma vie ! Ce moment m'a permis de réaliser que le suicide n'était pas la solution. Chaque jour maintenant, je contemple la photographie sur laquelle je suis blotti dans vos bras et je sais que je peux continuer à vivre. Cela peut sembler stupide, mais merci de m'avoir sauvé la vie.»

-Pamela F., Québec, Canada

Les mots de cette jeune femme ont résonné profondément dans mon cœur. Lorsque j'ai entrepris cette aventure, je n'avais jamais songé un instant qu'un acte de gentillesse tel qu'une caresse, un sourire, un mot d'encouragement ou un geste d'amour aurait pu amener tant de lumière dans ma vie. Je n'avais pas non plus imaginé l'impact d'une telle action sur la vie d'autrui. Si nos mots et nos actions peuvent véhiculer une puissance de guérison aussi grande, alors je vous invite tous à prendre un moment chaque jour pour sourire généreusement à un étranger. Vous pourriez, sans le savoir, offrir l'étincelle d'espoir nécessaire à cette personne pour poursuivre sa route avec un souffle nouveau.

Cela devint très clair pour moi : ma performance avait évolué vers une dimension nouvelle. En fait, ce n'était plus un travail mais une mission. Je m'étais transformé en un canal ou un conduit pour transporter l'énergie de guérison de l'amour universel. Couples, individus, petits groupes d'étrangers ou familles venaient me voir durant ces soirées glorieuses ; certains passaient plusieurs minutes dans mes bras, à absorber l'énergie qui émanait de ma personne. C'était une expérience incroyable que de voir les expressions de ravissement et de surprise sur le visage des gens lorsqu'ils repartaient. Quelques-uns tremblaient et se sentaient étourdis par l'émotion, tandis que d'autres riaient ; certains pleuraient, pendant que d'autres voguaient au loin, enveloppés dans un profond silence.

Embrasser la violence

Dans un de mes moments de silence, alors que je contemplais le coucher du soleil, je sentis un grand calme m'envahir ; comme une vague apaisante, il enleva toutes mes tensions, mes soucis et mes craintes. À cet instant, le monde autour de moi est tombé en pièces pour se rassembler en un monde nouveau. Il n'y avait plus de frontières entre mon être et ce qui lui était extérieur. Similaire à l'année précédente quand je m'étais reconnu à travers les autres, je me reconnaissais maintenant dans tout ce qui existait. J'avais vécu une expérience semblable, étant enfant, lorsque j'avais fait un avec l'essence divine et que j'avais été plongé dans un bonheur extatique. Vous auriez pu prendre tout mon argent, mes valises, les vêtements que j'avais sur le dos et ça ne m'aurait nullement dérangé puisque je me retrouvais submergé dans l'extase d'être vivant dans le moment présent. Je m'étais éveillé à la vérité de mon être. J'étais un être de Dieu, ainsi toute vie était en moi et moi j'étais en tout.

Cette béatitude fut brusquement interrompue. Un homme s'approcha pour un câlin et alors que je l'entourai de mes bras, il plaqua fortement ses mains sur ma poitrine. Son geste me propulsa sur le lampadaire derrière moi. Il m'avait trouvé dans un état de grande ouverture et de vulnérabilité et le choc fut tel que je fus soudain pris de tremblements intérieurs. Je le questionnai sur les motifs de son agression mais en marchant à reculons, il se moquait de moi, imitant mes gestes et répétant mes paroles. Puis il quitta enfin pour retrouver ses amis. Quelques centaines de personnes avaient été témoins de la scène mais seulement quelques-unes ont réagi en le huant. Je suis resté là, bouche bée, une expression de stupéfaction sur le visage, pris de tremblements sur tout le corps. Heureusement, plusieurs personnes sont venues m'offrir leur soutien en me serrant dans leurs bras. Les gens me demandaient de poursuivre mon offrande de câlins en disant que je ne devais pas laisser un individu de la sorte m'empêcher de répandre le bien. J'ai dû rassembler toute mon énergie pour retourner à mes étreintes et tranquillement j'ai pu reprendre mon rythme. Ma connexion énergétique fut toutefois coupée pour le reste de la soirée.

Un mois durant, ce type d'expérience revenait de façon cyclique. Je me rendais au Vieux-Port pour les feux d'artifices, serrais des centaines d'individus, atteignais un état profond de béatitude et puis survenait une attaque, à la mesure du degré d'extase que j'avais atteint.

Ce n'était pas aussi terrible que ça le semble. En fait, ces confrontations m'enseignaient à réagir avec moins de découragement et plus de sérénité et d'équanimité. Je commençais à comprendre le jeu d'équilibre de l'univers ; l'énergie positive attire l'énergie négative. Ces individus hostiles semblaient être attirés vers moi afin de transformer mon énergie aimante en la leur. Le moins j'entrais dans leurs vibrations de peur et d'agressivité, le moins de pouvoir ils avaient sur moi. Pour freiner ma crainte, je devais m'en remettre complètement à la force de l'amour et regarder mes assaillants avec compassion. C'était un défi de taille. Au cours de ma vie, la violence et l'agressivité avaient provoqué en moi une telle peur et une telle agitation que j'avais toujours répondu avec la même agressivité et la même colère.

La dernière attaque était de loin la plus dangereuse et la plus explosive. Un homme hautement drogué et intoxiqué intimidait tout le monde sur la Place afin de leur soutirer de l'argent. J'appris plus tard que l'homme en question n'avait pas pris son médicament antipsychotique. Personne ne voulait lui donner de l'argent, il décida donc que j'étais celui qui allait lui en fournir, mais il fallait tout d'abord m'intimider. Ce petit homme apeuré aux yeux rouges se tenait à un pied de distance devant moi, ses muscles tendus, ses poings fermés, prêt à me bondir au visage. Après avoir pris une profonde inspiration et avec toute la sincérité que je pus rassembler, je l'ai regardé avec un sourire et lui ai offert un câlin plutôt que de l'argent. Nous sommes demeurés là, face à face. Les minutes qui suivirent semblaient interminables, mon cœur battait la chamade et chaque fibre de mon être voulait frapper avant qu'il ne le fasse, mais heureusement le calme vint à ma rescousse. Je savais que j'étais confronté non pas à l'homme mais à l'alcool et à la drogue qui l'avait rendu esclave. Comment pourrai-je ne pas avoir de compassion pour cet homme triste et misérable ? Je ne gagnerais certainement rien à le blesser, je continuai donc à le regarder avec un doux sourire.

Il n'était pas très content de ma façon de répondre à ses menaces. Puisque je ne lui offrais rien qui pouvait justifier un état de rage, il quitta la Place à la recherche d'une nouvelle victime, jusqu'à ce que la police vienne le cueillir, en cris et en injures.

J'étais demeuré calme à l'extérieur mais à l'intérieur, je tremblais comme une feuille. Pour la première fois de ma vie, j'avais résolu une situation violente avec calme et dignité. J'étais très fier de moi, conscient du long chemin parcouru. Un an plus tôt, j'avais été celui qui courait, qui criait et qui jurait. Mais ce jour-là, j'avais trouvé le courage de défier ma crainte en démontrant de l'amour-compassion à cet être qui en avait grandement besoin. Le vrai sens de câliner sans condition avait trouvé écho au fond de moi.

L'aventure continue

Je me sens privilégié qu'on m'ait offert la possibilité d'expérimenter des événements aussi profondément touchants, des situations qui ont eu des influences positives sur ma vie. Je crois plus que jamais au dicton : «On récolte ce que l'on sème.» et je suis fier que ma joie et ma nouvelle passion soient de semer l'amour dans le monde.

Je suis honoré par les cadeaux et l'appréciation que les gens continuent de m'apporter – argent, fleurs, bonbons, rafraîchissements, poèmes, dessins, talismans de guérison et objets porte-bonheur. Je suis un peu dépassé par le nombre de personnes qui m'ont demandé de prier pour elles mais je reçois leurs demandes avec humilité. J'espère de tout cœur que leurs prières sont entendues et que leurs souffrances ont cessées. Pour ceux qui m'ont salué avec révérence et respect, j'espère que votre geste était dirigé vers l'Essence divine qui se trouve en chacun de nous et non pas vers moi, l'homme. J'ai peut-être des dons, mais comme tout être humain, je suis envahi par l'insécurité, les faiblesses, l'envie et l'étroitesse d'esprit. Le mieux que je puisse faire est d'offrir des prières, de l'amour-compassion, du réconfort et des câlins chaleureux à ceux qui en ont besoin. Pour le reste, je m'en remets entre les mains aimantes de Dieu.

Où cette grande aventure va-t-elle me conduire, c'est ce qu'il me reste à découvrir. Une chose demeure certaine, peu importe où j'arriverai, le chemin pour m'y rendre aura été une expérience incroyablement gratifiante. Ma quête pour apporter paix, compassion et amour dans le monde, un câlin à la fois, gagne lentement en appuis, tant au niveau local, national qu'international. Des occasions fabuleuses se sont présentées à moi depuis mes tous débuts et elles continuent de survenir de manière propice et inattendue, comme de réelles aventures. Les jours passent et Monsieur Câlin accueille dans ses bras un nombre incalculable de personnes, toutes aussi fascinantes et merveilleuses les unes que les autres, qui font toutes partie de cette charmante histoire inusitée. Partager ce voyage avec vous par le biais de ce livre m'a fait réaliser qu'il y a tant d'autres histoires à raconter et tant d'autres moments inspirant à partager que cette aventure mérite peut-être plus qu'un chapitre... il peut en fait mériter un livre entier à lui seul.

Je continue à offrir des câlins sur les places publiques, lors d'événements promotionnels ou de charité, pendant certains festivals et salons, et même suite à des événements tragiques, comme celui du 13 septembre 2006 au Collège Dawson à Montréal, où le réconfort et l'amour-compassion de mes étreintes répondait à un réel besoin.

L'aventure continue ainsi que mon évolution. Par différents moyens tels les performances, l'écriture, les lectures publiques, les conférences et les interventions j'espère arriver à en inspirer d'autres afin qu'ils abordent leur vie avec amour-compassion et qu'ils puissent aussi trouver la satisfaction et le bonheur en embrassant la vie et les autres.

«Je vous ai vu et seulement plus tard j'ai réalisé que pendant qu'on tente de faire une bonne action par jour, vous êtes là à en réaliser des douzaines tous les jours. Lorsque je suis retourné en Floride, je suis allé parler avec mes voisins, je les ai serrés dans mes bras et je leur ai dit que j'étais vraiment heureux qu'ils soient mes voisins.»

- Allen O., Floride, É-U-

– 2 –

À PROPOS DE CÂLINS

Mes aventures de câlineur m'ont inspiré plusieurs réflexions dont certaines que j'aimerais partager avec vous et que vous pourrez lire dans l'ordre qu'il vous plaira.

L'origine du câlin

Depuis le début des temps, le câlin a été un outil instinctif de survie pour l'être humain, qu'il l'ait employé comme signe d'affection ou d'intimité, comme défense ou simplement pour conserver sa chaleur contre les éléments de la nature. Le câlin tire son origine du confort et de la sécurité des bras maternels. À sa naissance, l'humain est tout d'abord une créature tactile qui s'active à explorer et à identifier le monde qui l'entoure et ce, principalement au moyen du toucher. En même temps que notre cerveau se développe, nous expérimentons la vie à différents niveaux et notre besoin de toucher s'en trouve amoindri. Puis s'installent nos codes comportementaux et le langage devient notre outil principal de communication. Notre désir naturel de toucher les autres diminue encore et peut même, dans certain cas, être complètement réprimé même si, en réalité, ce besoin primaire de serrer, toucher ou de s'enlacer ne disparaît jamais totalement. Pour la plupart des êtres humains, l'accolade est une réponse instinctive au besoin de réconfort et de sécurité.

Avec le temps, le câlin a évolué pour exprimer une vaste gamme d'émotions, d'états psychologiques et de dynamiques relationnelles. Chaque étreinte est unique et peut refléter une multitude de nuances et de significations selon les individus, la situation, le message ou le sentiment que le donneur désire exprimer. Les câlins expriment l'affection, la consolation, la réconciliation, la compassion, l'amour, la tendresse, la fraternité, le soutien, le désespoir, le chagrin, la possession, le contrôle, la dominance et l'agression... pour n'en nommer que quelques-uns !

Une constante demeure : le câlin, peu importe sa forme, est l'acte physique le plus puissant que nous utilisons pour exprimer notre besoin inné de chaleur humaine, de rapprochement interrelationnel et d'acceptation. Que nous l'exercions avec des étrangers ou avec des proches, ce simple geste, lorsque partagé avec amour et sincérité, a le pouvoir d'élever l'esprit, de transformer et de guérir. Le toucher est un élément aussi fondamental pour l'humain que l'air, l'eau et la nourriture. Si nos vies sont privées de tendresse humaine, alors nos corps en souffrent et tombent malades, nos cœurs s'endurcissent et nos esprits s'atrophient. Nous sommes avant tout des animaux sociaux. Que nous soyions timides, introvertis, réservés ou même misanthrope, nous avons toujours besoin de la présence de nos semblables et d'interagir avec eux pour nous épanouir.

Son pouvoir de guérison

Au fil des années, plusieurs études cliniques et psychologiques ont porté sur les effets thérapeutiques du toucher. Les études entreprises par la « Touch Research Institutes » à la Faculté de médecine de l'Université de Miami, ont révélé qu'il existe une corrélation importante entre le toucher humain et le bien-être psychologique, émotionnel et physique d'une personne. D'autres recherches ont également démontré que le massage et le toucher thérapeutique aident à réduire le stress, l'agressivité, l'anxiété, et la dépression, en plus d'accroître la conscience et de stimuler le système immunitaire.

Mes propres expériences comme donneur de câlins ainsi que les commentaires de milliers de gens qui ont partagé des câlins avec moi me portent à dire que non seulement le receveur obtient tous ces bénéfices, mais que le donneur en reçoit tout autant.

Avec la percée technologique du dernier siècle, communication, divertissement, magasinage, sexe, amitié et même, amour sont à notre disposition sans que nous ayons besoin de quitter la maison. En effet, la technologie d'aujourd'hui nous permet de vivre dans un état physique d'isolation tout en gardant contact avec le monde extérieur.

Cette tendance à l'isolation sociale nous entraîne cependant vers une perte de contact avec soi comme être aimant et avec ce que c'est que d'être un humain compatissant dans la société. Des gens de toutes les couches de la société sont devenus désillusionnés, déconnectés et spirituellement démunis. Il n'est donc pas surprenant de constater l'émergence, depuis quelques années, de thérapies et de techniques de guérison axées sur le toucher, le câlinage, le rire et autres expressions physiques qui ont pour but d'aider les gens à se reconnecter avec leur soi créatif et émotionnel. Si seulement nous prenions l'habitude d'exprimer librement notre amour à nous-mêmes et aux autres, nous aurions beaucoup moins besoin de thérapies. Étreindre n'est pas une solution à tous nos maux mais partagé avec amour et sans condition, le câlin devient une puissante source naturelle et illimitée d'énergie vitale et de guérison.

Quel type de câlineur êtes-vous ?

ACADÉMIQUE – Vous observez les échanges de câlins, étudiez leurs effets, et donnez des conférences sur leurs bénéfices mais vous ne vous aventurez jamais à partager un câlin avec quiconque.

ALTRUISTE – Vous détestez les caresses ; vous en donnez seulement parce que ça fait plaisir aux autres.

AVANT-GARDISTE – Vous avez étreint tant de gens que maintenant vous créez des nouvelles formes de câlins afin d'être à la fine pointe.

BORNÉ – Vous refusez résolument d'admettre que vous avez besoin ou que vous désirez une caresse jusqu'à ce que vous en partagiez une, puis vous fondez en larmes.

BRANCHÉ – ({) (()):** (((((un câlin S.V.P.))))) >:D< (})

COLLEUX– Avec votre pyjama et votre ourson en peluche, vous êtes toujours prêt pour une partie de collade.

COMPULSIF – Si vous ne pouvez trouver un arbre à embrasser, une boîte aux lettres fera certainement l'affaire !

COOL – Vous insufflez du style et de la candeur à vos câlins.

DÉPENDANT – Lorsque vous tenez une personne dans vos bras, vous ne voulez plus la laisser partir... jamais.

DISCORDANT – Rien ne peut rimer ou rythmer avec votre style d'affection.

DYNAMIQUE – Énergétiques et émotifs, on ne peut se détourner de vos câlins.

ÉLÉGANT – Gracieux et élancé, vous vous glissez dans une caresse et en ressortez infroissable.

ÉMOTIF – Vous fondez en larmes au premier effleurement physique.

FORMEL – Calculé pour un maximum d'effet et un minimum d'engagement.

FURIEUX – Oui, il existe des câlineurs furieux en ce monde qui aiment haïr l'amour !

GUÉRISSEUR – Votre énergie guérit tout et tous ceux que vous touchez.

GROGNEUR – Vous grognez et vous vous plaignez du fait que vous ne recevez jamais de câlins, mais seulement quand vous en recevez un.

HÂTIF – Vous étreignez parce qu'il le faut. Allez, qu'on en finisse !

INDÉCIS – Vous en voulez un, non, vous n'en voulez pas, peut-être un petit, ou peut-être un peu plus tard, ou ...

INDIFFÉRENT – Vous semblez toujours vous retrouver dans les bras de ceux qui ne vous attirent pas.

INTIME – Seulement avec des chandelles, du chocolat fondant et nu comme un ver.

JALOUX – Vous faites une crise lorsque votre partenaire serre quelqu'un d'autre dans ses bras, même si c'est sa mère !

KAMIKAZE – Vous plongez dans chaque caresse comme si c'était la dernière.

LANGOUREUX – Vos câlins durent et perdurent... ils pourraient aussi bien être des collades puisque vous ne serez pas le premier à lâcher prise !

MAÎTRE – Vous avez étreint tellement de gens que votre technique de câlinage est devenue une forme d'art.

MULTI-TÂCHES – Vous étreignez quelqu'un, parlez au téléphone, mangez, conduisez et tentez de faire tout cela ***maintenant*** !!!

NÉVROSÉ – Oui, les câlins peuvent être thérapeutiques, mais nous ne sommes toutefois pas votre psychologue !

ORGANISÉ – Réglé comme une horloge, vous étreignez les mêmes personnes, à la même heure et au même endroit.

OSÉ – Un câlin est seulement amusant quand un de vous est lié et a les yeux bandés.

PRÉCIEUX – Vous ne voudriez pas froisser votre bel ensemble ou risquer une contusion.

QUESTIONNEUR– Tu veux me donner une caresse ? Pourquoi ? Tu en es certain ? Tu n'es pas grippé, au moins ?

RICANEUR – Vous ne pouvez vous empêcher de ricaner lorsque quelqu'un vous embrasse.

ROMANTIQUE – Chaque personne qui vous étreint pourrait être votre âme sœur !

SEXUEL – Juste à penser caresse, vous êtes tout excité.

SOUMIS– Vous aimez tellement faire plaisir aux autres que vous êtes heureux de vous soumettre à toute demande de câlin.

SUPERFICIEL – Non-engagé mais amical, avec peut-être une petite tape dans le dos pour la postérité.

TIMIDE – Vous tournez au rouge et devenez évasif avant chaque câlin.

UTOPISTE – Chaque câlin est l'occasion parfaite pour créer un meilleur monde.

VOYANT – Vous n'avez qu'à ressentir que quelqu'un vous serre dans ses bras, et il apparaît.

WAGNÉRIEN – Votre étreinte prend les dimensions d'une tragédie d'opéra !

XTATIQUE – Eh man ! Ce câlin était style genre WOW ! Oui, juste ben cool ! Je veux que tu me donnes des câlins pour le reste de ma vie !

YOGI – Vos câlins sont entiers, souples, et "groundés", mais vous devez d'abord trouver votre alignement et votre équilibre.

ZÉLÉ – Votre passion des câlins est telle que vous avez même écrit un livre à ce sujet

QUI EST UN CÂLINEUR ?

Chaque être humain sur cette planète est un câlineur potentiel.

Durant les premiers mois de ma carrière de câlineur, je m'étais inventé un jeu qui consistait à deviner qui allait s'avancer vers moi dans le but d'échanger une étreinte. J'ai vite compris que c'était un défi hors de portée. On ne peut identifier un câlineur ni par ses traits de caractères, ni par sa façon de s'habiller, ni même par son comportement. Lorsque j'étais certain que le couple d'artistes qui flânait dans les alentours allait succomber à mon invitation, il m'ignorait totalement alors que le groupe de footballeurs se lançait avec cœur dans mes bras. Lorsque je pensais que la diva jet-set habillée pour l'opéra, au bras de son amant vêtu en Armani, lèverait le nez sur moi, je me retrouvais dans leurs bras à partager une accolade fort intime, alors que le petit groupe de prière qui, j'en étais certain, apprécierait mon offre d'amour inconditionnel, préférait faire du prosélytisme plutôt que de partager une étreinte chaleureuse.

J'ai depuis cessé de deviner qui m'interpellerait. Je regarde maintenant tous les gens qui croisent mon chemin comme des câlineurs potentiels - ce qu'ils sont en réalité même s'ils ne le savent pas encore.

Les femmes et les hommes

On me demande souvent si j'étreins plus de femmes que d'hommes, en présumant bien sûr que c'est le cas mais c'est faux, en fait, puisqu'en réalité, les deux genres s'équivalent dans la fréquence de câlins.

Laissez-moi vous parler de tendances plutôt que de certitudes. Selon moi, les femmes imprègnent leurs étreintes de tendresse, d'émotion et de vulnérabilité. Elles semblent plus à l'aise dans le fait de serrer d'autres femmes dans leurs bras et ceux qui se trouvent dans leur cercle d'intimité. Elles vont se détourner timidement des câlins offerts par des hommes qu'elles connaissent peu, à moins qu'elles aient la conviction qu'il n'y a aucune connotation sexuelle à l'échange. Elles se permettent de donner et de recevoir librement de l'affection en autant qu'elles se sentent en sécurité, quoiqu'elles demeurent très attentives pour que leurs gestes ne soient pas interprétés pour autre chose que de l'amitié. Les femmes se plaignent que souvent les hommes ne démontrent pas assez de tendresse dans leurs étreintes, et qu'ils envoient souvent des messages à double sens comme s'ils désiraient plus d'intimité alors que ce n'est pas le cas.

De leur côté, les hommes teintent leurs étreintes de force physique et de camaraderie. Ils montrent moins d'émotions, moins de touchers sentimentaux, et semblent à l'aise d'étreindre famille, amis intimes et co-équipiers. Il est plus facile pour eux de prendre publiquement dans leurs bras une femme qu'un homme mais lorsqu'ils acceptent de partager un câlin avec moi, ils utilisent leur force physique ou une tape amicale dans le dos. Ils sont moins enclins à exprimer de la tendresse. Certains pères qui, jadis, caressaient et collaient leur petite fille, prennent du recul à cause d'un sentiment d'inconfort lorsque leur fille commence à se transformer en jeune femme. Les garçons imitent habituellement les comportements de leur père lorsqu'il s'agit d'exprimer de l'affection physique envers autrui.

Ces généralités représentent des traits communs que j'ai souvent observés chez les femmes et les hommes. Néanmoins, aucune approche n'est exclusive à un sexe en particulier et n'est le reflet du potentiel affectif d'un individu. Les personnes qui étreignent et leur manière de faire tiennent beaucoup moins au sexe de l'individu et beaucoup plus à sa capacité et à sa volonté de partager de l'intimité physique. La timidité, l'insécurité, la peur d'être jugé et l'inconfort à être touché n'ont rien à voir avec le fait d'être un homme ou une femme, mais se réfèrent plutôt à notre éducation et à nos traits de caractère.

Les enfants

J'adore serrer les enfants dans mes bras. Leurs gestes d'affection sont empreints d'une sincérité authentique qui ne peut que nous inspirer. Nous avons tellement à apprendre d'eux et tant à se remémorer. L'exubérance qu'ils démontrent face à la vie et leur insatiable curiosité me rappellent que je dois bannir mes «faire semblant» d'adultes et regarder le monde de façon nouvelle, avec émerveillement, spontanéité et amour inconditionnel. Voilà le message des enfants.

Un groupe de cinquante bambins, en sortie d'excursion, se sont assis devant moi un bon matin afin d'observer mon état d'immobilité. Fidèle à mes habitudes, j'attendis qu'ils s'installent avant de plonger mon regard dans leurs yeux brillants de curiosité. Avec une voix douce et des mouvements délibérés, pour ne pas les effrayer, je leur souhaitai la bienvenue. Quelques-uns étaient étonnés, d'autres, hypnotisés, mais l'excitation atteignit son paroxysme lorsque je leur proposai des câlins. Au début, ce fut un moment de silence puis, réalisant ce qu'il leur était offert, le papotage et les ricanements s'élevèrent. Un après l'autre ils sont venus vers moi, du plus audacieux au plus timide, les petits bras tendus afin de recevoir un câlin rempli de tendresse auquel ils répondirent avec autant d'amour. Certains sont même revenus une deuxième et une troisième fois, tandis que d'autres déposaient un sou ou deux dans ma boite de dons. J'étais ému de voir un enfant plonger sa main dans sa poche afin d'en ressortir une pièce de monnaie et me l'offrir. Leur gratitude était palpable et moi, en retour j'étais reconnaissant de recevoir leur spontanéité et leur expression sincère d'amour tendre. J'ai également offert des étreintes aux monitrices du groupe. Stimulées par les cris insistants des enfants, elles acceptèrent mon offre mais non sans hésitation, comme si les câlins étaient uniquement réservés aux petits.

Quoi de plus facile que de philosopher, se plaindre ou donner des conseils, surtout lorsque nous ne sommes pas tenus d'agir selon ces belles paroles et ce, même si l'on s'attend à ce que les autres adhèrent à nos perceptions de vie. Combien d'entre nous agissons en accord avec ce que nous proclamons ? Tous les jours, j'entends des parents, plus particulièrement des pères, sermonner leur fils pour ne pas vouloir venir partager un câlin avec moi. Mais lorsque l'offre de câlin se dirige vers le père, il refuse catégoriquement et recule de la même façon que l'enfant une minute plus tôt. Quel bel exemple à donner ! «Faites ce que je dis et non ce que je fais». Cette attitude est terriblement hypocrite et, croyez-moi, les enfants observent et se souviennent. Trop souvent, je vois des parents donner une accolade rapide avec une petite tape dans le dos à leur jeune quand il est évident que l'enfant a un réel besoin d'affection et non juste d'un peu d'attention. Cela m'attriste profondément. Ces parents ne semblent pas réaliser qu'ils sont les premiers modèles de leurs enfants et que ces derniers imiteront par la suite leurs attitudes et leurs comportements.

Il est d'une évidence même pour moi que les parents qui caressent leurs enfants leur inculquent un désir et une appréciation pour l'affection physique, de même que les parents réticents, et physiquement distants, inculquent une attitude de crainte à leur progéniture. Lorsqu'un enfant demande un câlin, pourquoi le lui refuser ? Et donnez-en donc un vrai, tant qu'à y être ! Les enfants apprennent de cette manière qu'ils valent la peine d'être aimés et que l'affection physique peut être positive et bienvenue. En retour, leur cadeau d'amour pur touchera votre cœur. Lorsque les enfants sont entourés de câlineurs affectueux, ils tendent à devenir eux-mêmes des êtres affectueux en grandissant.

Les adolescents

Peu importe leur tribu – gothique, rocker, rollerblader, skateboarder, hippy, punk ou sportif – des milliers d'adolescents viennent partager des câlins avec moi. En fait, il semble que le besoin physique de tendresse soit plus présent dans ce groupe d'âge. Après une étreinte, plusieurs me disent : «C'est la meilleure caresse que j'ai eue de ma vie !» Puis : «Est-ce que je pourrais en avoir une autre ?» J'ai entendu ces expressions d'appréciation tellement souvent et autant par des jeunes sans-abri que par des ados provenant de familles stables. La majorité des adolescents que j'ai rencontrés étaient très respectueux, et exprimaient leur gratitude avec un niveau de sincérité que les adultes ne semblent pas connaître. Je vois beaucoup de gens et de tous les milieux qui, désolé de le dire, sont en manque d'affection, affamés de toucher et assoiffés d'amour, et les adolescents, ces jeunes être merveilleux, sont de loin les plus désireux.

Plusieurs recherches ont été menées dans la dernière décennie sur la façon dont le toucher thérapeutique ou affectif influait sur le comportement des adolescents. Une de ces études suggère que les adolescents et les adolescentes, qui incluent l'interaction physique dans leur habilité de communication (tel que toucher, étreindre, tenir la main) sont moins portés vers les comportements agressifs et violents que ceux qui n'ont pas cette habilité. Une autre étude conclut qu'après un mois de massages sur chaise, à raison de deux massages par semaine, les adolescents deviennent moins agressifs. Dans un monde où la violence et l'agressivité tendent à augmenter, il pourrait être bénéfique de voir la corrélation entre l'affection physique et l'agression. Nous avons tous besoin d'être touchés et de nous sentir aimés, particulièrement ceux qui dans notre société sont en transition physique, émotive et psychologique, passant de la phase de l'enfance à la phase adulte.

J'ai observé un père qui tentait d'étreindre avec enthousiasme ses deux adolescents qui, de leur côté, ressentaient un extrême inconfort. J'ai été témoin du cynisme d'une mère qui repoussait la tentative de son jeune qui cherchait à lui donner une caresse, comme si cet acte était enfantin et stupide. J'ai aussi vu une fille se détourner d'une accolade familiale, la qualifiant de grossière. Ces événements représentent seulement quelques exemples de situations d'inconfort entre parents et adolescents qui défilent devant moi au quotidien. Je suis convaincu que de nombreux parents se sentent blessés et tristes face à l'inconfort de leurs ados à démontrer de l'affection physique envers eux, l'inverse étant également vrai. J'ai aussi remarqué que souvent, les câlins entre parents et adolescents sont échangés de façon automatique et détachée, comme s'il s'agissait d'une tâche à exécuter comme celle d'aller promener le chien.

En tant que membres adultes de notre société, ne jouons-nous pas un rôle de modèle pour notre jeune génération ? Si en tant qu'adultes nous éprouvons de l'inconfort à caresser affectueusement ceux que nous disons aimer, comment pouvons-nous alors demander à nos enfants de démontrer de l'affection arrivés au stage adulte ? Il n'est pas surprenant que tant de jeunes et d'adultes trouvent mes caresses si remarquables et réconfortantes : j'y mets tout mon cœur ! Je souhaiterais seulement que plus de parents et d'adolescents le fassent entre eux.

«Vous êtes vraiment une inspiration pour les gens comme moi, qui à 16 ans, doivent prendre des décisions cruciales pour leur avenir mais qui sont si intimidés par ce grand monde, que simplement penser à «l'avenir» est accablant. Nous sommes bombardés de notions absurdes voulant que le succès appartienne seulement aux médecins, aux avocats et aux scientifiques ; qu'il ne vaut pas la peine de perdre son temps dans des activités créatives et de développement personnel. Vous êtes la preuve vivante que de transformer ses rêves en réalité n'a rien d'une perte de temps. Après avoir partagé un câlin avec vous cet été et vous avoir entendu parler à la radio (je vous ai même vu à la télévision), il m'est apparu encore plus clair que ce sont les gens de votre race, confiants et imaginatifs, qui font tourner le monde. Il devrait exister plus de personnes comme vous, parce que vous inspirez le bonheur et la dignité à chaque personne que vous rencontrez. Votre succès se calcule au nombre de sourires que vous faites naître sur le visage des gens, et ceci surpasse de loin les professions dites «nobles» que je connaisse.»

- Danya K., Québec, Canada

Chaque métier et chaque profession imprégnés d'amour et de générosité d'esprit sont potentiellement nobles, de la même manière que chaque adulte est un modèle potentiel pour un enfant ou un adolescent. Ce qui importe, ce n'est pas le rôle que vous jouez mais comment vous le jouez. Les jeunes ont besoin d'observer des exemples véridiques de différents types de succès, de modes de vie, de façons de penser et de croyances. Ceci dans le but de leur faire découvrir l'éventail de possibilités qui s'offre à eux. Ils ont besoin de modèles positifs pour les guider dans le développement de leur propre potentiel et pour les aider à croire que la vie leur réserve un avenir rempli de beauté, d'abondance, et doté d'un sens profond.

Les personnes handicapées

Les personnes handicapées que nous trouvons dans notre société, qu'elles soient atteintes physiquement ou mentalement, ont tout autant besoin d'affection sinon plus que les autres. Pourtant, nous sommes nombreux à hésiter lorsqu'il s'agit de donner une caresse chaleureuse à une personne ayant un handicap, et ceci pour de multiples raisons que ce soit à cause de l'inconfort, la crainte, le jugement et même l'ignorance. Les premières fois que des personnes handicapées se sont arrêtées devant moi, j'étais également hésitant à les étreindre, je m'imaginais qu'elles auraient l'impression que je leur offrais une caresse à cause de leur incapacité et qu'elles en seraient offensées. J'ai rapidement compris que c'était mon propre inconfort qui s'exprimait et qu'en réalité mon invitation serait non seulement bienvenue mais très appréciée. Je savais que si mon désir de donner de l'affection était sincère et profond, ce qui était le cas, alors je n'avais aucune raison de m'inquiéter de l'accueil des gens. Même lorsqu'ils refusaient, j'étais certain qu'ils appréciaient mon geste. Si vous avez réellement envie d'étreindre quelqu'un, le corps et le cerveau qu'il possède ne devraient pas avoir d'importance.

C'est toujours un moment spécial pour moi lorsque je prends dans mes bras une personne défavorisée puisque ça semble toujours être un moment spécial pour elle aussi. Souvent, vers la troisième respiration, elles commencent à rigoler, ce qui me porte à rire aussi bien sûr, et ensemble nous terminons notre accolade avec un rire joyeux. J'ai demandé à quelques-uns de mes câlineurs handicapés, les habitués, la raison de leurs rires. Leurs réponses étaient sensiblement les mêmes : être tout d'un coup rempli d'une énergie de joie les rendait un peu ivre et gai. C'est très motivant de savoir que mes actions sont source de réjouissance pour d'autres êtres humains qui doivent se battre avec la réalité de leur vie. En fait, ça me donne du courage pour continuer dans ma quête qui se résume à apporter de la joie dans le monde, un câlin à la fois.

Nous sommes tous des créatures de Dieu qui ressentent et qui respirent, avec nos propres limitations et nos propres défis. Que certains de ces défis soient plus évidents que d'autres ne change rien. Nous jouons tous un rôle dans l'évolution de notre société ; nous avons tous une place de droit et d'honneur dans ce monde. Alors le fait d'oublier, de rejeter ou d'ignorer certains d'entre nous parce qu'à nos yeux, ils ne sont pas des êtres «entiers» ou «parfaits», amène le déshonneur à notre propre imperfection. Nous méritons tous d'être touché par l'amour des autres aussi souvent que possible. Alors je vous encourage fortement, quand vous en aurez la chance, à offrir votre tendresse à un être ayant non pas moins de capacité que vous mais des capacités différentes.

Les personnes âgées

Monsieur Câlin est sollicité régulièrement pour aller offrir ses câlins dans le cours d'événements traitant de la santé et du bien-être. Sa présence est également grandement appréciée dans les centres de retraite pour personnes âgées. Lorsque j'entre dans un centre, vêtu de mon élégant costume, ressemblant à un gentilhomme arrivant tout droit de l'époque de la jeunesse des résidents du foyer, je peux sentir la curiosité et l'excitation dans l'air. Durant la journée, ils viennent me voir l'un après l'autre pour bavarder, pour partager une caresse ou juste pour observer. Quelques-uns affichent une attitude de bougonneur, tandis que d'autres sont plutôt alertes, et certains recèlent une nature plus féroce. Par contre, tous hésitent avant de m'approcher et m'observent pour être certain que je suis de bonne foi. Dès qu'ils réalisent que mes intentions sont bonnes, ils lancent un grand soupir, s'approchent et se laissent enlacer avec amour. Plusieurs me disent que leur famille ne les visite que très rarement et que leur dernière étreinte chaleureuse est antérieure à la mort de leur époux ou de leur épouse. Pour certains, il s'agit de mois, pour d'autres, d'années. J'ai de la difficulté à m'imaginer ce que ce doit être que de ne pas avoir été serré affectueusement dans les bras de quelqu'un depuis cinq, dix ou même quinze ans... À la fin de la journée, alors que je range mes affaires, la question la plus demandée est : «Quand allez-vous revenir nous donner des câlins ?».

Les aînés de notre société ont besoin d'être touchés affectueusement, avec attention et amour. Seuls et oubliés, plusieurs deviennent l'ombre de ce qu'ils étaient auparavant, parfois par choix mais plus souvent qu'autrement à cause des circonstances. Même si leur corps se dégénère et que leurs facultés s'affaiblissent, leur cœur demeure jeune et leur esprit éveillé. Nous ne devrions pas abandonner si facilement ces êtres merveilleux qui, avec leurs luttes et leurs succès, ont su paver notre chemin d'avantages technologiques et sociaux que nous, les plus jeunes générations, prenons aujourd'hui pour acquis.

Nous qui sommes entourés de famille et d'amis devrions rechercher les personnes seules, abandonnées et oubliées, afin de leur offrir un peu de notre présence chaleureuse. Un moment qu'ils chériront dans leur cœur pour le reste de leurs jours puisque pour certains il est vraiment question de jours. Il existe de nombreux organismes qui recherchent des bénévoles pour passer du temps de façon régulière avec les personnes âgées, afin de prendre le temps de les écouter, de les aider à faire leur magasinage, effectuer différentes visites ou se divertir. C'est incroyable les histoires, les expériences et la sagesse qu'une personne du troisième âge peut partager ! Allez donc au parc par une belle journée bavarder avec l'homme qui nourrit les pigeons ou avec la femme ratatinée qui ramasse les cannettes et les sacs de plastique. Entretenez une conversation avec eux et ensuite offrez-leur un câlin... vous pourriez découvrir que la vie que vous tenez dans vos bras est beaucoup plus précieuse que vous ne l'aviez imaginé.

Les animaux de compagnie

Combien on aime ces êtres à poils, à plumes, écailleux ou laineux qui animent nos maisons et apportent l'amour inconditionnel dans nos vies ! Ces animaux qui nous sont chers savent demeurer à nos côtés lorsque nous avons besoin de compagnie, de réconfort et de protection. Ils semblent même deviner nos états d'âme, se collant à nous lorsque nous sommes tristes et faisant des cabrioles tout en étant affectueux lorsque nous sommes enjoués. Ils nous écoutent attentivement sans jamais nous interrompre.

Ces créatures de réconfort peuvent vraiment faire une différence dans nos vies !

Ces animaux familiers enrichissent nos vies de plusieurs façons avec leur amour inconditionnel et leur présence peu exigeante. C'est une évidence que la présence d'un animal apporte des bienfaits remarquables à son propriétaire ; dans le cas des enfants et des aînés, ces bénéfices sont d'autant plus importants. Des études montrent que les enfants qui ont grandi avec un chien deviennent généralement des adultes plus confiants et plus responsables. S'occuper d'un animal enseigne le sens des responsabilités et la compassion pour autrui. L'amitié et l'amour inconditionnel que l'enfant reçoit en retour contribuent à sa valorisation personnelle et à bâtir sa confiance en lui. Pour les gens âgés qui demeurent seuls ou qui ont de la difficulté à socialiser, c'est la même chose ; l'animal leur offre sa compagnie, son affection et sa protection jour après jour, et les aide à vivre plus longtemps, plus heureux et en meilleure santé.

Pour gagner la loyauté et l'amitié d'un animal, il faut en prendre soin ; au minimum, nous devons lui fournir de la nourriture, un toit et lui porter une attention chaleureuse. L'attention peut s'exprimer de différentes manières, dont les caresses. Les animaux domestiques ont besoin d'être flattés, aimés et appréciés. Comme pour les humains, le toucher et l'affection physique jouent un rôle important dans leur bien-être émotif et psychologique.

Juste un petit avertissement : ne jamais tenter de caresser un animal qui ne vous connaît pas sans le demander au préalable à son maître. Puis laissez-le vous sentir d'abord et s'habituer à votre présence, il vous fera savoir s'il désire ou non être touché. Si vous ne voulez pas qu'il vous morde, n'insistez pas s'il vous démontre clairement qu'il n'est pas intéressé. Le respect, premier principe du câlinage, s'applique aussi bien aux animaux qu'aux humains.

Les toutous et les doudous

Avec sa doudou ratatiné, Linus, de la bande dessinée Charlie Brown, représente tous ces enfants et ces adultes qui trouvent calme et réconfort en présence de leur objet préféré : couverture, ourson, poupée ou oreiller. Pour certains, ces objets de réconfort sont une béquille émotionnelle ou psychologique qui reflète une peur profonde ou une grande insécurité face à la vie ; pour d'autres, il s'agit plutôt d'une habitude qui leur apporte un réconfort physique, un sentiment de sécurité et une présence chaleureuse.

En ce qui me concerne, deux objets ont particulièrement contribué au réconfort dans ma vie : un oreiller à collade et un ourson. L'oreiller en question fait deux fois et demie la longueur d'un oreiller ordinaire, ceci afin de pouvoir l'enlacer avec les bras et les jambes simultanément pour se coller contre lui, de là son nom. Mon oreiller s'est avérée très utile au fil des années, non seulement m'a-t-il réconforté lors de mes nombreuses soirées passées en solitaire mais aussi sur une base plus régulière, suite à un accident d'auto pour m'aider à rajuster ma position au lit et m'éviter ainsi des torticolis et des maux de dos. J'ai aussi passé de longues heures en sa compagnie, blotti dans mon hamac, à siroter un chocolat chaud tout en parcourant un bon livre.

L'ourson en peluche, le Teddy Bear, existe depuis plusieurs décennies. Il a été introduit presqu'en même temps aux États-Unis et en Allemagne mais son nom, au moins en anglais, demeure strictement américain puisqu'il a été ainsi nommé d'après l'homme qui a inspiré sa création et sa popularité — le président Théodore «Teddy» Roosevelt. Depuis, animaux et créatures réelles et fantaisistes ont occupé une place importante dans le lit des tout-petits à travers le monde. Qu'ils soient en peluche ou en tissu, miniatures ou gigantesques, ces toutous sont réconfortants et nous procurent un sentiment de sécurité.

Ma sœur possède une collection impressionnante de toutous en peluche qu'elle sort des boîtes tous les deux ou trois ans afin d'en couvrir sa chambre. C'est merveilleux de la voir s'adonner à ce passe-temps joyeux et enfantin. Là, parmi ces créatures d'enfance, la magie s'installe et la petite fille fait son apparition, la femme s'anime et se remplie d'une énergie de jeunesse qui fait briller ses yeux. Elle embellit et rayonne, inspirée par l'amour et la gaieté innocente de son enfant intérieure.

Les foires et les carnavals sont bondés de kiosques où l'on s'empresse de mettre vos habiletés à l'épreuve et où on distribue des toutous de toutes formes et de toutes grandeurs aux heureux gagnants. À dix ans, mon père m'a amené à un de ces carnavals et a joué pour m'obtenir un de ces toutous. J'étais fier et si content que mon père ait gagné ce toutou pour moi. C'était un long serpent vert qui a rapidement trouvé sa place dans la collection de ma sœur. Des années plus tard, j'étais excité et heureux d'avoir gagné un gros lapin jaune pour ma petite amie lors de notre première sortie. Même si la relation n'a pas duré, ce moment joyeux demeure imprégné dans mes souvenirs.

Mises à part ces deux expériences, je dois admettre que ma réelle appréciation pour ces objets de réconfort est plutôt récente. Le premier Noël après m'être lancé dans ma «carrière» de Monsieur Câlin, j'ai surpris Jade en nous offrant à tous les deux des oursons en peluche. Elle a baptisé son ourson Ruma, l'affectueux, et moi j'ai nommé le mien Rumi, le silencieux. Depuis, lorsque je fais une sieste, Rumi se tient toujours à mes côtés prêt à être enlacé pendant que j'erre dans le monde du rêve et au-delà. Les toutous et les doudous enchantent tous ceux et celles qui ont un cœur d'enfant.

Le câlin en pays étranger

Ici en Occident, nous avons l'habitude d'exprimer nos sentiments en toute liberté, quand bon nous semble et sans restrictions. Chaque culture diffère quant à son approche et sa tolérance face aux démonstrations publiques d'affection. Ce qui est accepté dans une société peut s'avérer très irrespectueux dans une autre.

Dans notre culture occidentale, il est plus fréquent de voir deux femmes s'enlacer ou une femme et un homme que deux hommes. Mais il y a des exceptions ; en Italie et en Grèce par exemple, il est normal pour un groupe de jeunes hommes de se promener en ville en se faisant des accolades, en se tenant par la main ou avec le bras par-dessus l'épaule.

Aux Indes, au Pakistan et dans la plupart des pays orientaux, il est plus normal de voir deux hommes s'étreindre en public que deux femmes, et rarement vous verrez un homme et une femme se toucher publiquement. En fait, dans plusieurs de ces pays, les mœurs religieuses et/ou sociales désapprouvent fermement l'expression publique d'affection entre personnes de sexe opposé. Ce n'est pas seulement mal vu, des sanctions sont prévues par la loi, allant de l'amende salée à bien pire : emprisonnement, raclée, expulsion par la famille ou par la communauté, et dans de rares, cas certains se font même attaquer et tuer afin que le nom de la famille ne soit pas souillé.

Si vous avez l'intention de voyager au Moyen-Orient ou dans les pays asiatiques, il serait important avant de partir de vous renseigner sur les mœurs et les lois qui régissent la démonstration d'affection dans ce pays, et tout particulièrement si vous planifiez un voyage de noces ou un petit voyage romantique. Il pourrait s'avérer très décevant de découvrir, une fois sur place, qu'il n'est pas permis de se tenir la main, de s'embrasser ou de s'étreindre, et que cela pourrait même vous attirer de graves ennuis. En respectant les us et coutumes du pays, vous vous assurez un voyage beaucoup plus plaisant et chaleureux.

Câliner avec discernement

En tant que câlineur public, un de mes plus grands défis est de négocier avec le sentiment de méfiance des gens vis-à-vis les étrangers et la crainte qu'engendrent les situations nouvelles. En dépit du fait que je tente de faire accepter les étreintes chaleureuses comme une pratique acceptable et même indispensable au sein de tout environnement, la réalité de notre monde d'aujourd'hui dicte que chacun doit demeurer conscient des limites imposées par nos mœurs professionnelles et sociales.

La sexualisation de notre société à travers la promotion et la commercialisation du sexe et de la sensualité a atteint un point de saturation tel, qu'il n'est plus possible de passer devant un arrêt d'autobus sans être attiré par une publicité séductrice ou lubrique. Il n'est donc pas surprenant que beaucoup d'hommes et de femmes refoulent leur instinct affectif et hésitent à démontrer ouvertement et spontanément de l'affection physique entre eux et même envers les enfants qui ne sont pas les leurs, de crainte que leurs intentions soient mal perçues ou mal interprétées. La société dans son ensemble est devenue hyper-sensible à toute forme de toucher affectif et contact physique, ces gestes d'affection ou de réconfort qui sont trop facilement interprétés comme des demandes sexuelles ou même comme du harcèlement sexuel. Il faut être particulièrement prudent au travail, où toute forme d'affection physique est inappropriée, sauf les poignées de mains et les tapes dans le dos.

Veuillez garder en mémoire les suggestions suivantes lorsque vous déciderez d'étreindre une personne qui n'appartient pas à votre cercle d'amis intimes. Lisez cette liste de conseils, adaptez-la et ajoutez-y de nouvelles idées. Vous êtes le meilleur juge pour décider de ce qui est acceptable et de ce qui vous permettra d'apprécier ces moments d'échange.

1. Soyez courtois ; demandez toujours avant d'enlacer une personne, ses enfants ou ses animaux.

2. À moins qu'un enfant ne vous réclame un câlin le premier, assurez-vous de lui demander la permission avant de le toucher.

3. Si quelqu'un désire se retirer de l'étreinte, même si cette dernière n'a duré que quelques secondes, laissez-le partir.

4. Ne laissez-pas vos mains errer. Gardez-les bien en vue dans le haut du dos de votre partenaire, qu'elles restent en place ou qu'elles frottent son dos doucement.

5. Il est important pour l'homme de garder une certaine distance à partir de la poitrine vers le bas lorsqu'il serre une femme dans ses bras. Il faut lui démontrer du respect et de la délicatesse. Même si c'est tentant, messieurs, ne serrez pas au point d'écraser les seins sur votre poitrine. Il s'agit ici de donner un câlin chaleureux et non un câlin en chaleur.

6. Lorsqu'une femme étreint un homme, elle devrait être amicale et naturelle. Ne vous attardez pas trop, mesdames, puisque beaucoup d'hommes sont prompts à interpréter une touche féminine qui dure plus de quelques secondes comme une avance. Gardez votre corps à une certaine distance à partir de la poitrine vers le bas.

– 3 –

LES CINQ PRINCIPES DU CÂLINAGE

1. Câliner avec respect !

La capacité et le désir d'exprimer de l'intimité physique diffère d'une personne à l'autre. En respectant vos limites et celles de votre partenaire de câlinage, vous vous honorez l'un l'autre et vous honorez la beauté de ce geste.

Respecter signifie avoir de la considération pour quelqu'un, le tenir en estime. Pour respecter les autres, il faut d'abord se respecter soi-même. En tenant compte de nos besoins et de nos limites personnelles, et en s'accordant de l'estime malgré nos imperfections, nous apprenons à nous accepter, donc à devenir plus aimant envers nous même. Il est plus facile de montrer de la tolérance et de la compassion envers quelqu'un une fois que nous avons compris combien d'efforts cela peut parfois nécessiter d'être gentil, attentionné et prévenant à l'endroit des êtres humains. J'ai souvent à faire des efforts pour me rappeler que même si le comportement de quelqu'un ne mérite pas le respect, je dois respecter cette personne en tant qu'être humain. La condition humaine que nous partageons et l'esprit de Dieu qui nous habite font de nous des êtres qui méritent compassion et respect.

Aucun individu n'a plus de valeur ou moins de valeur qu'un autre. En acceptant nos imperfections, nous apprenons à apprécier et même à aimer la complexité de notre condition humaine. Ce chemin mène aussi au respect du caractère unique de chacun, que nous soyons ou non d'accord avec leurs perceptions de vie. Respecter les gens c'est honorer ces différences.

Lorsqu'on invite quelqu'un à partager l'intimité émotionnelle et physique associée à un câlin, il est vital d'être attentif et de respecter les limites de son partenaire. En accueillant quelqu'un dans vos bras, demandez-vous comment cette personne se sent. Est-elle tendue et gênée, anxieuse et fuyante, non-réceptive et froide, nerveuse et ricaneuse ? En ressentant intuitivement ses réactions physiques, vous apprendrez beaucoup sur la façon dont elle vit ce moment d'intimité. Si votre partenaire désire se retirer après un court moment, serrez plus intensément pendant quelques secondes pour signifier que vous appréciez ce moment de partage puis laissez-le partir, même si vous auriez préféré une étreinte un peu plus longue. Le fait d'avoir porté attention à son besoin ou à sa crainte non-verbalisée apportera à cette personne un sentiment de sécurité et créera le désir de vous étreindre ultérieurement. De plus, si quelqu'un n'est pas enclin à recevoir un câlin, acceptez son refus avec un sourire. Vous ne savez pas l'effet qu'une étreinte peut provoquer chez cette personne ou pourquoi elle réagit de cette façon, alors ne jugez point et ne prenez rien personnellement.

Il est important d'être attentif à votre partenaire mais il est tout aussi important d'être conscient de vos propres besoins et d'y répondre. Lorsque vous manquez d'affection, n'hésitez pas à saisir l'amour à travers les caresses des autres. De la même façon, si vous ressentez de l'inconfort dans les bras de quelqu'un, vous devez vous respecter en acceptant ces émotions et en agissant de manière appropriée. Vous pourriez vouloir vous dégager doucement de l'étreinte avec gratitude dans votre cœur et bonté dans votre sourire, ou vous pourriez aussi vous en remettre à l'intention d'amour portée par cette étreinte, confiant que la vie ne vous imposera jamais une situation que vous ne pourriez affronter. Peu importe votre choix, il se doit d'être sincère et respectueux.

2. Câliner sans condition !

Comme l'amour, ou l'amitié, pour être profondément sincère, le câlin ne doit receler aucune condition. Si vous donnez librement, avec tout votre cœur et sans rien attendre en retour, vous recevrez assurément beaucoup plus que vous ne l'auriez espéré.

Une étreinte est un geste d'amour, de bonté et de générosité échangé entre deux ou plusieurs êtres humains. Lorsque vous offrez une caresse, gardez toujours à l'esprit le plaisir de l'autre, sans tenir compte de son appréciation du moment ou de ce qu'il peut vous apporter en retour. La joie que vous recevrez à partager votre amour avec d'autres et le plaisir qu'ils tireront de votre geste sont l'essence même du principe de câliner sans condition.

Ce principe comprend aussi un autre aspect, soit celui d'être capable de recevoir ce cadeau merveilleux sans se sentir redevable. Lorsque vous acceptez le geste d'amour de quelqu'un avec votre cœur et sans obligations, vous honorez vraiment son geste.

J'ai découvert que si j'attendais quelque chose en échange de l'amour que j'offrais, j'étais indéniablement déçu puisque mes attentes n'étaient jamais comblées. Le plaisir du moment était gâché par mon désir ardent de réciprocité. Lorsque j'applique la règle du un pour un, je finis toujours par me couper au niveau du cœur afin d'assouvir ma soif égoïste. Les sages de notre temps et des temps anciens nous parlent de la loi universelle du donner et du recevoir. Ils nous enseignent à semer ce que nous voulons récolter. J'ai mis des années à transformer la sagesse puissante de cette simple vérité d'une compréhension intellectuelle à un savoir personnel.

Donner des câlins m'a permis de réaliser que lorsque je donne aux autres ce dont j'ai le plus besoin et lorsque je donne librement avec mon cœur sans demander en retour, Dieu pénètre dans mon cœur et me comble à son tour.

3. Câliner avec cœur !

Chaque câlin, à un certain degré, est la manifestation de l'Amour divin. Si en donnant un câlin, vos intentions sont d'un amour pur, alors votre esprit s'élèvera et les cœurs de tous ceux que vous prendrez dans vos bras se rempliront d'allégresse et de réconfort.

Un câlin peut revêtir mille et une formes qui sont aussi bonnes les unes que les autres. Une petite tape dans le dos, donnée avec sincérité et au bon moment, peut avoir un impact des plus positifs tandis qu'une grosse embrassade dépourvue de sentiments peut bouleverser quelqu'un et même le rendre méfiant.

Si ce n'est pas la forme extérieure qui fait la profondeur d'un câlin, qu'est-ce que c'est ? Simplement les intentions qui le motivent.

L'intention peut être définie comme un but, un objectif important qui guide une action. Toute action que nous exécutons est dirigée par nos intentions profondes, que l'intention soit consciente ou intuitive, égoïste ou altruiste. Ceci signifie que nous avons le pouvoir de choisir les intentions qui guident la nature de nos actions. Dans la vie, nous réagissons à de multiples événements de façon inconsciente, ce qui complique l'identification et le contrôle de nos intentions, mais nous pouvons aussi consciemment choisir les qualités dont nous voulons imprégner notre étreinte. La puissance de transformation du câlin se retrouve beaucoup plus dans l'intention du câlin que dans l'acte physique même. A votre prochain câlin, visualisez l'intention que vous nourrissez envers l'autre personne comme une vibration qui sort de votre être et qui est captée par l'autre personne. Si vous avez une intention d'amour, votre partenaire ressentira votre réconfort, votre intérêt, votre souci à son égard ainsi que votre amour sans qu'aucun mot ne soit prononcé.

La prochaine fois que vous prendrez quelqu'un dans vos bras, remplissez votre cœur d'un désir d'amour et laissez cette intention pénétrer votre étreinte. À chaque inspiration, dites silencieusement dans votre cœur : «sois rempli d'amour», «sois réconforté», «sois joyeux» ou ce dont vous croyez qu'ils ont le plus besoin à cet instant. Faites confiance à votre intuition. Les intentions intérieures sont puissantes, dans les étreintes comme dans la vie en général ; si vous les utilisez avec discernement, elles peuvent créer de profondes transformations, voir même une guérison. En imprégnant d'un amour sincère chaque câlin que vous partagez, non seulement vous vous élèverez mais vous apporterez joie, réconfort et bien-être à tous ceux que vous toucherez.

4. Câliner le moment !

Chaque câlin et chaque personne que vous étreignez méritent votre attention toute entière. Dans ce moment divin de partage, soyez pleinement réceptif et conscient.
C'est maintenant que votre vie se vit !
Alors respirez-la, appréciez-la, embrassez-la et partagez-la !

Le seul endroit où vous pouvez physiquement être est : ici ! Le seul temps dans lequel vous pouvez vous retrouver est : maintenant ! Peu importe où votre esprit errera, vous serez toujours ici, maintenant. Le fait de profiter pleinement du moment présent ne dépend que de vous. Franchement, qu'est-ce qui peut être plus important ou plus urgent que ce que vous vivez à l'instant même ?

Combien de fois vous perdez-vous dans vos pensées, dans des soucis non fondés, des rêveries fantaisistes et des réflexions abstraites ? Plus souvent qu'autrement nous disparaissons quelque part dans les tréfonds de notre esprit et effectuons des actions dans le présent mais sans nous en apercevoir. Nos vies urbaines nous poussent à vivre le temps en terme de quantité et non en terme de qualité.

Chaque moment de cette vie a son sens, il est précieux et mérite notre attention entière. Chaque instant nous offre l'occasion de vivre dans le respect et dans l'amour inconditionnel, avec des intentions chaleureuses et une gratitude sincère. Laissez simplement le moment se dévoiler !

Si vous entreprenez de savourer chaque instant comme une friandise exquise, vous vous attarderez aussi certainement à observer combien sont précieux les individus qui apportent une direction et un sens à votre cheminement. Peu importe le rôle que les gens jouent dans l'aventure de votre vie, chérissez leur présence ; ils sont vos guides et vos compagnons de voyage. Lorsque vous étreignez une personne, faites-le en étant pleinement conscient, savourant chaque seconde de l'étreinte. Prenez plaisir dans chaque petit détail : l'approche, la générosité de l'esprit, l'intimité physique, l'investissement émotif, la respiration partagée, le rythme des battements de cœur, la chaleur d'un autre être humain. C'est un moment divin de partage, alors prenez le temps d'être entièrement présent en lui : respirez-le, appréciez-le, exprimez votre gratitude et embrassez-le comme si c'était votre dernier.

5. Câliner avec gratitude !

Le câlin est une expression de vie qui affirme la beauté de notre humanité. C'est par ce geste simple mais combien profond que la gratitude et la révérence pour le sens sacré de la vie peuvent s'exprimer.

Que nous le reconnaissions ou non, la vie nous fournit de nombreuses occasions pour évoluer et expérimenter l'abondance. Plusieurs de ces opportunités surviennent dans le cours de nos interactions quotidiennes avec les gens qui nous entourent. Chacune de ces interactions nous offre la chance de reconnaître notre condition humaine et, ce faisant, de l'améliorer. Bien sûr, ceci implique que le nombre d'occasions d'exprimer notre gratitude est également illimité. Offrir de la gratitude est un acte de noblesse qui demande de l'humilité et un sens profond du respect. Cette action détient le pouvoir de nous élever au-dessus des affaires mondaines insignifiantes de tous les jours. Offrir de la gratitude, c'est aussi affirmer l'esprit généreux de la nature humaine tout en honorant la gloire de Dieu en tant que source et substance de toute bonté. Il est essentiel de montrer de la reconnaissance et de la gratitude pour ce que la vie nous apporte si nous voulons que nos désirs profonds deviennent réalité.

La reconnaissance peut s'exprimer de différentes façons. Elle peut être dite silencieusement dans le cœur, par exemple lors de la prière ou de la méditation. Elle peut aussi prendre une forme plus fantaisiste de fleurs ou de chansons, se retrouver dans une poignée de mains, dans quelques mots d'appréciation écrits dans une carte, ou simplement s'insinuer dans un léger sourire ou un signe de tête affirmatif. Les mots et les gestes d'appréciation sont toujours bienvenus. Qu'il est plaisant d'apprendre que notre présence ou que nos actions ont fait plaisir à quelqu'un, alors pourquoi ne pas donner aux autres le même genre d'appréciation que nous aimons tant recevoir ?

Chaque jour, nous passons outre à de nombreuses occasions de montrer notre gratitude aux autres. Prenez un moment pour penser à ceux qui ont touché votre vie. Qui mérite votre gratitude aujourd'hui ? Un intime pour son amour, un ami pour son écoute, un collègue de travail pour sa collaboration, un étranger pour sa gentillesse non sollicitée ? Qu'est-ce que vous attendez ? Rassemblez votre courage et allez leur dire ou, mieux encore, allez leur exprimer votre reconnaissance. Et pourquoi pas en leur donnant un câlin ? Si l'idée vous plaît, allez-y ! Chaque étreinte que vous donnez est l'occasion rêvée d'exprimer votre gratitude. Et si vous étreignez avec gratitude, les gens vous en seront reconnaissants en retour.

Câliner est le langage du cœur,

entièrement Divin mais absolument humain!

– 4 –

LE TRÉSOR AUX CÂLINS

Bienvenue dans le trésor aux câlins ! Ici, vous trouverez une collection d'étreintes toutes aussi expressives et merveilleuses les unes que les autres. L'étreinte est une offrande précieuse et unique qui a le pouvoir de créer une solidarité à long terme, une intimité profonde, une célébration joyeuse, une guérison du corps, de la conscience et de l'esprit.

Ceci n'est en aucun cas une liste didatique de câlins mais plutôt une collection de pensées, d'observations et d'expériences sur la diversité et l'art de cet acte si humain.

Même si j'ai identifié et catégorisé les câlins, je désire préciser que ce n'est nullement dans l'intention de juger ou de caractériser les gens qui ont eu le courage de partager des étreintes avec moi. Il ne faudrait pas non plus vous juger ou juger d'autres personnes dont vous reconnaîtrez le style dans les descriptions mais profitez plutôt de l'occasion pour explorer de nouvelles façons de partager la tendresse et l'intimité humaine. Chaque individu transpose, dans ses câlins, le style et l'énergie qui lui sont propres. Alors, lorsque vous étreignez, gardez à l'esprit que la véritable valeur du câlin naît de l'intention qui l'habite et non du geste en tant que tel. Veuillez utiliser ces descriptions comme un guide divertissant, traitant des différentes façons que l'humain utilise pour exprimer et partager son affection, son intérêt et sa joie à travers les caresses.

Puisses ces joyaux apporter une étincelle à votre vie et à celle des gens avec qui vous les partagerez.

LES CÂLINS DE BASE

Il existe trois formes physiques de base sur lesquelles s'appuient la plupart des autres câlins : le câlin en «A», le câlin formel et le câlin enveloppant.

LE CÂLIN EN «A»

Voulez-vous communiquer avec beaucoup d'éclat mais sans une trop grande proximité physique ou émotive ? Alors ce pourrait être le parfait câlin pour vous. Non pas que les gens concernés ne se portent pas une affection réciproque mais leur situation sociale ou leurs habitudes de vie requièrent un accueil rapide et détaché. La forme se manifeste lorsque les deux personnes s'étreignent formant ainsi un «A» majuscule.

1. Tenez-vous à quelques pieds de distance de la personne que vous désirez étreindre.

2. Gardez les jambes droites et légèrement écartées.

3. Penchez la portion du corps « poitrine, hanches » vers l'avant, ce qui poussera naturellement le bas du dos vers l'arrière.

4. Tenez les mains, les bras ou les épaules de l'autre personne pour maintenir votre équilibre.

5. Embrassez-vous ou prétendez vous embrasser mutuellement sur les joues.

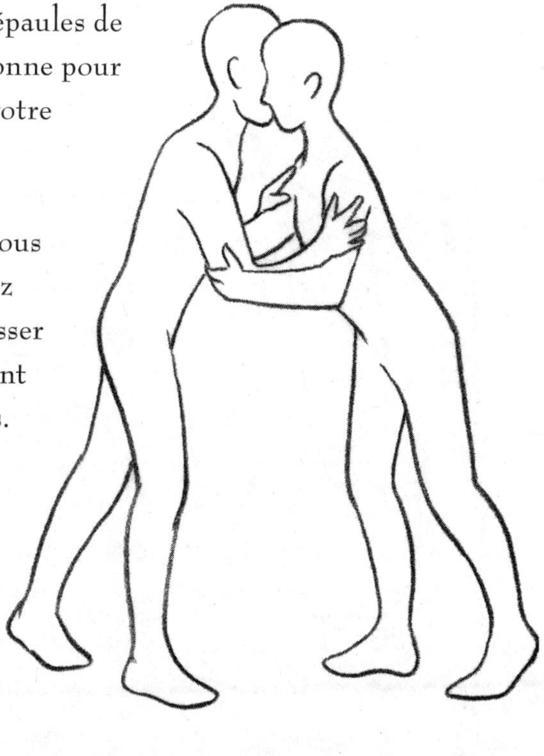

LE CÂLIN FORMEL

Un câlin qui apporte distinction et distance dans les occasions qui nécessitent retenue, bienséance et formalité, ou pour les gens qui sont de nature rigide et qui ressentent l'inconfort à montrer trop d'affection physique.

1. Tenez-vous à environ un pied de distance de l'autre personne.

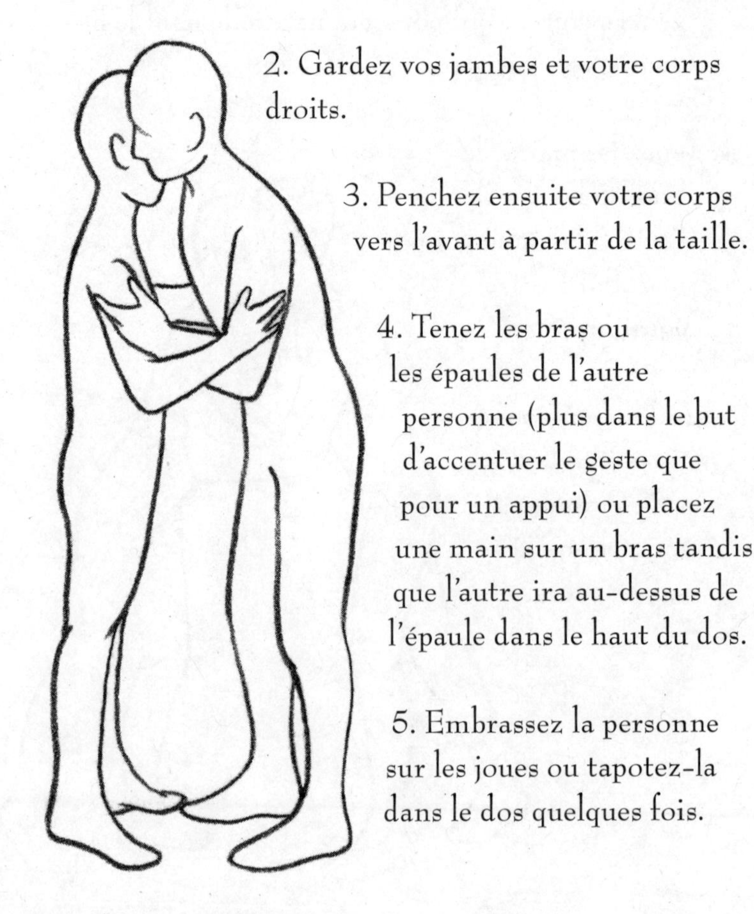

2. Gardez vos jambes et votre corps droits.
3. Penchez ensuite votre corps vers l'avant à partir de la taille.
4. Tenez les bras ou les épaules de l'autre personne (plus dans le but d'accentuer le geste que pour un appui) ou placez une main sur un bras tandis que l'autre ira au-dessus de l'épaule dans le haut du dos.
5. Embrassez la personne sur les joues ou tapotez-la dans le dos quelques fois.

Le câlin enveloppant

Comme un bel emballage autour d'une sucrerie délicieuse, cette forme est la base de tous les câlins de guérison et de réconfort dans ce trésor. Cette forme de câlin vous invite à exprimer la chaleur de votre cœur pendant que vous vous enveloppez dans l'expérience partagée d'une étreinte.

1. Tenez-vous très près de la personne que vous désirez étreindre.

2. Penchez-vous en avant à partir de la taille.

3. Entourez de vos bras le torse ou les épaules de la personne.

4. Placez les paumes de vos mains dans son dos.

5. Tenez la personne tout contre vous.

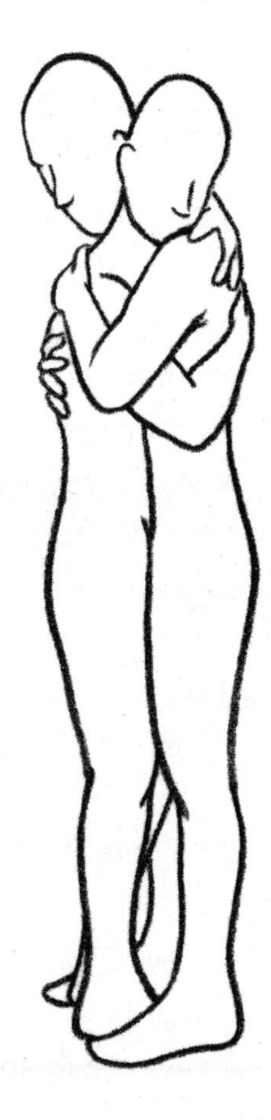

LES CÂLINS NONCHALANTS

Le câlin nonchalant se veut un accueil amical et cordial. Il est quelque peu impersonnel et dénote un manque d'intimité physique ou émotive. La plupart d'entre nous ne disposons pas d'assez de temps, d'inclination ou d'énergie pour étreindre tous ceux que nous rencontrons, de façon chaleureuse et avec un contact physique enveloppant, ce qui n'est pas toujours approprié, d'ailleurs. Il est étonnant d'observer toutes les variations que le câlin nonchalant peut prendre selon les implications sociales et émotives qui l'entourent. Votre intention, ou votre manque d'intention, joue également un rôle important dans la façon dont est livrée l'étreinte, mais plus important encore, comment elle est reçue. Les câlins nonchalants qui suivent sont ceux que nous retrouvons le plus souvent aujourd'hui. Même s'ils sont en quelque sorte dépourvus de passion, il peut être bénéfique de garder à l'esprit le troisième principe «câliner avec cœur» lorsque vous les pratiquez. En ajoutant un peu d'amour et de sincérité à ces étreintes, vous pourriez faire toute la différence !

LE CÂLIN BISOU-BISOU - *Catégorie : «A»*

J'ai découvert ce câlin charmant au début des années '90 alors que je résidais à Paris. Je lui avais d'abord donné le nom de «Câlin parisien» à cause de la fréquence à laquelle mes amis français l'employaient.

Mais puisqu'il est aussi régulièrement utilisé par les Québécois et dans les cultures latines, il me semblait plus approprié de lui donner une désignation descriptive physique plutôt que culturelle.

Lorsqu'elle est utilisée nonchalamment, juste pour la forme, un peu comme les poignées de mains, cette embrassade sur les joues donne l'impression qu'un rapport intime existe avec l'autre personne sans pour autant que ce soit la réalité. En fait, un manque de conviction se dégage souvent de ce câlin souvent devenu un geste automatique, comme lorsqu'on demande «Comment ça va?» sans trop de sincérité ou d'intérêt.

Cette étreinte suivie de plusieurs bisous sur les joues s'exécute rapidement. Les individus se penchent vers l'avant en formant un «A» avec leurs corps et vont s'embrasser simultanément sur les joues ; une, deux, et même trois fois. Ce câlin rapide va souvent de pair avec une conversation enjouée. Malgré le potentiel grandissant de son insincérité, ce câlin peut être offert avec joie, chaleur et camaraderie, particulièrement lorsqu'il est donné avec un plaisir authentique. Il est fréquemment employé dans les réunions d'école, les mariages, les funérailles, et autres rassemblements de la sorte.

LE CÂLIN DE COURTOISIE - *Catégorie : formel*

Durant mes vingt années de carrière comme acteur et mes trois ans à titre de président régional de l'ACTRA, syndicat national d'acteurs du cinéma et de la télévision, j'ai participé à plusieurs premières de films et événements officiels où j'ai pris plaisir à partager des câlins courtois.

Quelque peu superficielle, cette étreinte est commune dans les cérémonies formelles, les soirées de la haute société et les affaires diplomatiques. Le jet-set, l'artiste élite et la femme de haute société utilisent le câlin courtois pour offrir un accueil socialement correct pendant qu'ils maintiennent leur façade diplomatique. Comme le nom l'indique, c'est une expression de courtoisie, rien de plus.

Même si le câlin formel est plutôt de nature rigide et stoïque, il a le mérite d'être digne et très élégant. Les deux personnes se penchent légèrement vers l'avant et vont s'effleurer les joues en envoyant un baiser à proximité dans les airs.

Son utilisation peut être motivée par l'inconfort qui découle de l'affection physique de l'une ou des deux personnes concernées. Le conditionnement social, culturel et personnel nous dicte souvent la façon de nous comporter dans la démonstration d'affection physique, alors si vous rencontrez quelqu'un qui semble mal à l'aise ou qui manque de sincérité lorsqu'il vous étreint, ne vous en faites pas ; soyez gentil et compréhensif dans votre approche.

LE CÂLIN TAP-TAP - *Catégorie : «A»*

Cette étreinte apparemment authentique cache une fausse sincérité et du détachement. Elle donne l'illusion de réconforter quant, en fait, elle offre peu à ceux qui ont besoin de consolation et de réconfort. J'aimerais croire que les gens qui m'approchent pour me faire une embrassade ont pour objectif de partager un moment authentique de tendresse avec moi. Lorsqu'une personne étend ses bras sur mes épaules, telle une paire de nouilles trop cuites, et me tapote le dos en me disant d'un air faussement attendri : «Mon pauvre, vous avez l'air si seul», ou : «Hé! Ça va aller, mon gars, tiens, voici ta caresse», cela m'attriste de voir qu'ils ont besoin de se cacher pour montrer un peu de tendresse. Pourquoi prétendre être bienveillant et avoir de la compassion lorsque l'intention n'y est pas ? Par contre, si ça rend les gens heureux de croire qu'ils m'étreignent pour mon seul bénéfice, ça me va. Car je sais que de toute manière, ils sont en train de recevoir la chaleur et le réconfort qu'ils recherchaient.

Il demeure cependant que n'importe quel être humain, qui a un réel besoin de consolation, va certainement ressentir le manque de conviction dans cette étreinte et, malheureusement, cela risque d'aggraver leur souffrance plutôt que de l'apaiser. En tant que câlineur, voici le moment où vous devez vous rappeler le premier principe : «câliner avec respect». Souvenez-vous d'entrer en contact avec la personne à l'endroit où elle se trouve et serrez-la dans vos bras avec sincérité, même si vous sentez qu'elle n'est pas tout à fait prête à faire de même.

Lorsque quelqu'un a besoin d'inventer une excuse pour donner un câlin, c'est souvent parce qu'il a lui-même besoin d'affection physique, qu'il l'admette ou non.

LE CÂLIN VIRIL - *Catégorie : formel*

Cet accueil, essentiellement masculin, est, pour la plupart, pratiqué entre les hommes de cultures latine, slave ou arabe. Les films ont souvent présenté cette accolade comme l'accueil stéréotypé des cheiks et des gangsters. Vous pourriez aussi observer un père étreindre sa fille ou son fils qui part pour le collège ou à la guerre de la même façon. Cette étreinte masculine peut représenter un signe de respect ou de courtoisie pour des personnes qui se connaissent depuis longtemps mais sans pour autant être des amis, ou elle peut être employée pour témoigner de l'affection profonde ou de l'amour mais d'une manière masculine restreinte.

Lorsqu'il n'est pas empreint d'un respect profond ou d'une affection véritable, ce câlin est plutôt rigide, sec et même un peu menaçant. De plus, ce câlin n'est pas partagé également entre les deux partenaires puisqu'une hiérarchie subtile entre en jeu. Généralement, l'homme qui amorce l'étreinte placera ses mains fermement sur les épaules de l'autre, établissant ainsi sa domination et dénotant un rang plus élevé au niveau social, familial ou financier, pendant que le receveur demeurera physiquement passif.

L'instigateur du câlin se penche alors pour serrer momentanément la personne qui se trouve dans ses bras ou pour l'embrasser sur la joue. Il relâche ensuite sa prise pour permettre à l'autre de se dégager. Si une émotion forte envahit le câlineur, il peut simplement réprimer son émotion et ne rien faire.

Lorsque j'avais 13 ans, mes parents ont décidé de m'inscrire à un stage d'études en Europe pour un mois ; c'était la première fois que je prenais l'avion. J'avais revêtu un ensemble de velours pourpre pour le grand jour et debout devant la porte d'embarquement de l'aéroport, j'attendais qu'on m'expédie sur l'autre continent. Le câlin viril fut exactement le type d'étreinte que mon père a utilisé à cet instant, manifestant une attention aimante mais rigide avec une émotion restreinte. Depuis qu'il vient me regarder partager des câlins sur la Place Jacques-Cartier, il est devenu beaucoup plus relaxe et chaleureux dans sa façon de donner des étreintes.

LE CÂLIN PRISE DE MAIN - *Catégorie : formel/enveloppant*

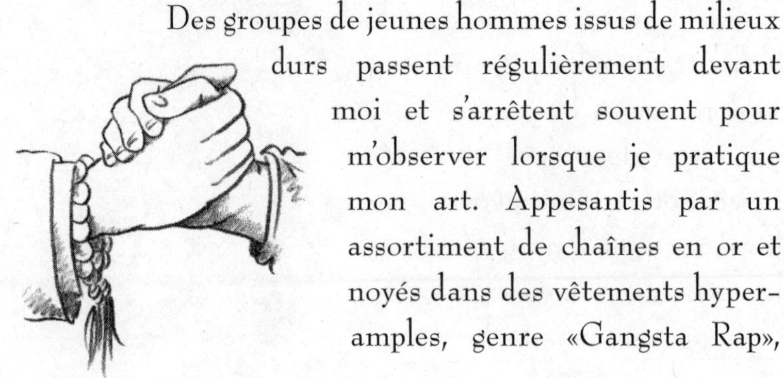

Des groupes de jeunes hommes issus de milieux durs passent régulièrement devant moi et s'arrêtent souvent pour m'observer lorsque je pratique mon art. Appesantis par un assortiment de chaînes en or et noyés dans des vêtements hyper-amples, genre «Gangsta Rap», ils vont se taquiner entre eux mais habituellement aucun d'eux n'ose s'approcher pour recevoir un câlin. Ces jeunes machos qui affichent un haut niveau d'insécurité utilisent fréquemment les bravades comme armure. Lorsque je leur offre un câlin, ils rient mais gardent fermement leurs distances. Les plus audacieux iront peut-être jusqu'à offrir une prise de main ou un «high five». Une fois, un de ces jeunes hommes m'a fait une prise de main, après quoi il m'a tiré vers lui avec force, emprisonnant ainsi nos mains entre nos poitrines, pour finalement m'asséner une claque dans le dos. En me relâchant, il m'a dit «C'est comme ça que nous on fait ça !»

Il y avait beaucoup de machisme dans cette prise de main, ce coup de poitrine et cette tape dans le dos mais c'était leur manière d'exprimer leur affection, le respect et la camaraderie entre eux. Certains groupes que j'ai rencontrés avaient inventé leurs propres poignées de main qu'ils aimaient intégrer à la suite d'une prise de main. Avec le temps, j'ai appris plusieurs poignées de main « cool » de ces jeunes ; ce fut très plaisant de partager ces rituels avec eux.

Ce type de câlin n'est pas réservé aux gangs de rue : plusieurs athlètes l'utilisent pour montrer leur appui et leur amour fraternel, spécialement avec leurs co-équipiers. Faites le test en observant un événement sportif ou athlétique, vous en verrez une bonne variété.

LE CÂLIN CÔTE-À-CÔTE - *Catégorie : enveloppant*

Lorsque je me retrouve aux côtés de ma compagne, que nous sommes blottis l'un contre l'autre en silence, nous nous régalons à partager un moment de beauté et de sérénité. Mais la vraie nature de cette étreinte se révèle dans l'action et non dans l'immobilité. C'est le câlin idéal pour les promenades du dimanche, les discussions sous la pleine lune, le lèche-vitrines et les balades dans les musées. Nonchalante, sans but, gaie et relaxante, cette étreinte dénote une intimité romantique, l'amitié et la camaraderie. Dans la plupart des villes occidentales, vous verrez toutes sortes de combinaisons hommes/femmes parcourir les rues en affichant cette étreinte, selon leur culture et leur orientation sexuelle.

Sur la Place Jacques-Cartier, je vois des paires et des trios marcher côte-à-côte, reliés par les bras autour de la taille, par les épaules ou une combinaison des deux. Les duos les plus romantiques tendent à laisser leurs mains vagabonder de haut en bas. Les amies de fille ont souvent des touchers plus intimes entre elles ; sans pour autant badiner, elles semblent faire plus de place aux jeux intimes dans la façon de se lier les unes aux autres. Les amis de garçons, par contre, vont vraisemblablement utiliser deux seules variations : bras autour des épaules ou bras sous bras. Les mains ne vagabondent généralement pas.

De mon côté, j'ai toujours apprécié les promenades nocturnes au le bord de l'eau avec mon amoureuse ; c'est le moment idéal pour me détendre et nous reconnecter. En ce qui concerne mes amis masculins, j'aime marcher avec eux les bras sur leurs épaules, et particulièrement lorsque nous discutons d'affaires personnelles. Cela favorise l'écoute profonde et renforce le lien d'amitié.

LES CÂLINS DYNAMIQUES

Ces câlins à émotion intense comportent une activité physique tel que courser, sauter, bondir, soulever, faire tourner ou se battre. Cette combinaison émotion/action suggère tant de dynamisme et de beauté qu'il est plaisant d'y participer ou même seulement de la regarder. L'instigateur du câlin a un besoin si ardent d'exprimer ses émotions qu'il le fait de façon physique et dramatique.

Très spontanés, ces câlins prennent habituellement les deux parties par surprise. Il existe deux variantes à cette dynamique : soit une accumulation rapide d'énergie qui soudainement doit s'extérioriser comme lorsqu'une personne retrouve un ami de longue date et qu'elle court vers lui pour sauter dans ses bras ; ou une explosion spontanée et inattendue de mouvement comme dans le cas d'une personne qui soudainement soulève une autre dans les airs. Toutes ces étreintes, à l'exception d'une seule sont l'expression d'une exubérance joyeuse et d'une affection profonde. L'exception qui confirme la règle sont les câlins du guerrier qui, utilisés dans les arts martiaux, font bande à part puisqu'ils sont de nature agressive, féroce et tactique.

LE CÂLIN EN COURSE - *Catégorie : enveloppant*

Ce sont les enfants, les amoureux passionnés et les adultes à l'esprit enjoué qui semblent prendre le plus grand plaisir à partager cette expression joyeuse.

Cette étreinte spontanée est souvent provoquée par l'arrivée d'un ami ou de quelqu'un qui nous est cher même si, dans mon cas, les gens qui se sont lancés dans mes bras semblaient plutôt inspirés par le pur plaisir de partager un câlin enthousiaste en toute liberté. Quelle joie de voir ces gens abandonner toutes leurs habitudes et leurs simulacres pour répondre à l'appel de leur cœur ! Propulsés par une joyeuse exubérance, ces gens ont couru vers moi et se sont littéralement lancé dans mes bras accueillants pour y vivre un moment intense. Il y a tant de joie de vivre, de chaleur et de reconnaissance dans ces étreintes qu'elles me laissent souvent radieux et un peu abasourdi pendant des heures.

Du côté des amoureux, ils attachent à ce câlin une plus grande anticipation et une plus grande charge émotive. Lorsqu'elles se touchent, une des personnes va souvent amortir l'élan de course de l'autre en la soulevant dans les airs, en la faisant virevolter. Cette comédie romantique se termine habituellement par un long baiser langoureux. (Pour plus de détails sur les étreintes et le romantisme, lire la section sur les câlins intimes.)

Note : À moins que le coureur ne soit plus petit et beaucoup plus léger que celui qui le reçoit, je suggère fortement que le coureur ralentisse son allure avant la période de contact. Il serait triste que le receveur du câlin se fasse bousculer ou blesser. Pour éviter de tomber, le receveur pourrait toutefois placer sa jambe la plus forte vers l'arrière, se pencher légèrement vers l'avant et plier les genoux pour absorber plus aisément l'impact. Si l'espace le permet, ils peuvent tournoyer au moment du contact afin d'éviter une perte d'équilibre ou une chute.

LE CÂLIN DES RETROUVAILLES - *Catégorie : enveloppant*

Tous les jours, à travers le monde entier, dans les gares, les stations d'autobus et les aéroports, on exécute ce câlin joyeux rempli d'émotions fortes. Tantôt joyeux, tantôt larmoyant, festif ou sobre, il demeure toujours profondément senti. Il est tout indiqué pour les amis, les amoureux ou les membres d'une famille qui se retrouvent après une période d'absence.

Lorsque je voyage, je vois souvent des groupes qui attendent l'arrivée d'un être cher avec une anticipation pétillante très visible. Entre les moments de conversation animés et les exclamations spontanées provoquées par l'espoir d'avoir aperçu le voyageur, les yeux scrutent ardemment la foule qui s'avance. Et là, de l'autre côté de la porte d'embarquement, apparaît le voyageur, fatigué du voyage et chargé de bagages, qui s'active dans l'espoir de trouver les êtres chers qui lui apporteront un réconfort et une paix d'esprit. Puis, à travers la multitude, le moment tant attendu arrive. Les regards se croisent, l'excitation naît, la cadence s'accélère et avec un élan d'exaltation le voyageur rejoint son comité d'accueil. Il dépose ses valises, élève ses mains dans les airs et s'empresse de partager l'affection qui lui est offerte. Les yeux clos et les bras fermement entourés les uns aux autres, ils oscillent parfois d'un côté et de l'autre. Puis, ils reculent et se regardent comme pour signifier «Oui, c'est bien toi !». Les émotions s'expriment, un éventuel mélange de baisers, de rires, de pleurs, de caresses, d'excitation et de touchers. Et ce cercle d'émotions peut se poursuivre encore longtemps, selon le nombre de proches qui prennent part à l'échange et selon leur enthousiasme.

J'ai fréquemment observé dans les aéroports la scène d'une femme qui donne une étreinte énergique en propulsant ses talons vers l'arrière avec un cri joyeux au moment où elle est soulevée dans les airs par son ami(e) ou par son amoureux. Un moment photo mémorable... Je souhaiterais parfois être plus petit et plus léger afin de pouvoir moi aussi propulser mes talons vers l'arrière et vivre cette expérience qui semble des plus fantastiques.

LE CÂLIN BONDISSANT - *Catégorie : enveloppant*

La vie nous offre parfois des moments merveilleux. Des nouvelles incroyables ou des événements inattendus nous transportent dans un élan de joie extatique qui déclenche en nous le désir ardent d'exprimer, par des baisers et des caresses, notre profonde gratitude à quiconque nous entoure. Le câlin bondissant représente la célébration sans retenue de l'un de ces moments, comme lorsqu'on gagne à la loterie ou qu'on marque le but gagnant.

Même si cette étreinte est aussi spontanée que les deux précédentes, elle est habituellement pratiquée sur une plus courte distance. En poussant un cri de joie, l'instigateur de ce câlin sautera dans les bras de la personne la plus proche de lui pendant qu'elle, prise par surprise, le recevra dans ses bras. Idéalement, la personne qui reçoit devrait posséder force, agilité et vivacité, afin de préserver l'intention joyeuse du câlin.

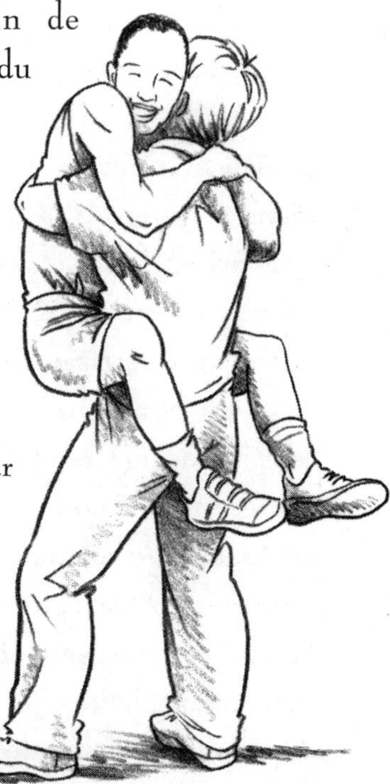

Note : Contrairement au câlin en course, le câlin bondissant est souvent inattendu. Assurez-vous alors que la personne sur laquelle vous allez sauter est capable de vous attraper. Autrement, vous vous retrouverez tous les deux par terre en pleurant de douleur et non de joie. Une situation qui m'est arrivée à quelques reprises, un incident professionnel sans doute ! Opter pour la prévention, c'est s'assurer d'une joyeuse célébration !

LE CÂLIN DE L'OURS - *Catégorie : enveloppant*

Voici le plus puissant des câlins sur le plan de la forme physique. Il est généralement pratiqué par des hommes robustes, dotés d'une grande force physique pour montrer l'affection et la camaraderie ou pour révéler une domination physique agressive. C'est aussi une technique de combat employée dans plusieurs arts martiaux, ce qui fera l'objet de la section sur les câlins du guerrier. Pour le moment, nous allons nous pencher sur l'aspect plus amical de cette étreinte.

La personne la plus costaude enveloppe ses bras autour du corps de l'autre, par l'avant ou par l'arrière, et la serre fermement, parfois en la balançant d'un côté à l'autre ou en la soulevant en l'air. La personne en vol peut ainsi tournoyer une fois ou deux. J'ai reçu de nombreux câlins de l'ours dans ma vie et je les trouve extrêmement libérateurs, en autant qu'on ait lâché prise et qu'on entre dans le jeu, bien sûr. Pour une prise efficace, j'écarte les jambes, je rejette ma tête vers l'arrière et je fais comme si je volais. C'est vraiment électrisant !

Un bon câlin de l'ours me fait toujours rigoler en plus de me remplir d'énergie et de me libérer de toutes mes tensions. Lorsque je rencontre des hommes costauds qui hésitent à m'étreindre, je leur demande parfois s'ils accepteraient de me faire un câlin de l'ours. Ils refusent très rarement et repartent le sourire aux lèvres. Je dois admettre qu'au moment du décollage, un début de panique s'empare parfois de moi mais se dissipe rapidement lorsque je me laisse aller et que je m'en remets à mon esprit enjoué et espiègle.

Note : Avant d'aller faire des câlins d'ours à tous vos amis, rappelez-vous deux choses : 1° : ne serrez pas trop fort le torse de l'autre personne, car les côtes sont très fragiles et se fracturent aisément sous pression 2° : ne tentez pas ce câlin sur quelqu'un de plus grand et de plus lourd que vous ; la dynamique physique ne fonctionnera pas et vous risquez de blesser votre dos et votre orgueil.

LES CÂLINS DU GUERRIER - *Catégorie : enveloppant/«A»*

J'ai inclus cette étreinte d'arts martiaux pour montrer que les câlins peuvent également être utilisés en fonction d'un aspect plus violent et plus agressif de l'être humain, différent de son côté chaleureux et aimant.

Depuis la nuit des temps, clans et sociétés ont payé au prix de guerres leur besoin de dominer. Avant l'arrivée des bombes, des tanks, des armes à feu, des épées et des flèches, il y avait les arts martiaux. Deux combattants, habituellement de sexe masculin, utilisaient leurs corps, leur intelligence et leur volonté pour survivre et apporter gloire ou déshonneur au clan.

Même les arts martiaux d'aujourd'hui trouvent leurs racines et leur inspiration ici. Les câlins du guerrier, une combinaison de force, d'agilité, de vitesse, de flexibilité et d'aptitudes mentales et stratégiques sont des techniques nobles et puissantes de combat. Ils sont utilisés pour maîtriser et soumettre l'adversaire et sont particulièrement communs en judo et en jujitsu, mais aussi dans différentes formes de lutte : sumo, gréco-romaine, professionnelle et de style libre, ou dans des styles de kickboxing tel que le Muay Thaï, la boxe thaïlandaise.

En judo et en jujitsu, les attaquants utilisent des techniques de prises pour se plaquer contre l'adversaire et exercer de la pression sur une ou plusieurs zones critiques de son corps en vue de minimiser sa force et le faire tomber au sol, où il sera alors facile de l'immobiliser et de le soumettre.

Avec les années, les lutteurs professionnels ont développé une panoplie de nouvelles prises, toutes aussi spectaculaires les unes que les autres et dotées de noms flamboyants. Les Scoop Slam, Sunset Flip, Gutwrench et Tilt-a-Whirl représentent seulement quelques-unes des étreintes utilisées par les gladiateurs de ce spectacle populaire.

Le Muay Thaï est un art martial dévastateur dans lequel les combattants emploient strictement leurs mains, leurs coudes, leurs genoux et leurs pieds pour vaincre l'ennemi. La «A» est exécutée lorsqu'un des lutteurs veut utiliser la résistance de son adversaire pour lui assener un coup de genou ou de tibia puissant contre lui.

LES CÂLINS GUÉRISSEURS

Lorsque nos cœurs sont touchés par la douce main de l'amour, l'espoir illumine notre chemin et nous aide à trouver la force de caractère nécessaire pour faire face aux événements que la vie nous apporte. Le toucher possède un grand potentiel dont celui de nourrir et de guérir le corps, la conscience, le cœur et l'esprit. Ces câlins merveilleux sont à votre disposition, que vous vouliez atténuer vos propres souffrances, unir la beauté de votre cœur à celle d'une autre personne ou accueillir avec humilité l'Esprit divin en vous.

Les câlins guérisseurs sont les joyaux les plus précieux du trésor puisqu'ils ont le pouvoir d'ajouter l'étincelle à vos yeux, l'éclat à votre cœur et la richesse à votre esprit, afin que vous puissiez transformer votre vie en une expérience louable et significative.

LE CÂLIN DE SOI - *Catégorie : enveloppant*

Nous traversons tous des périodes où nous nous trouvons particulièrement vulnérables, émotifs ou déconnectés de nous-mêmes. Nous ne tenons pas toujours compte de nos besoins et parfois nous oublions l'importance d'aimer, de respecter et de prendre soin de notre corps, de notre conscience, de notre esprit et de notre cœur.

Le tournant de ce millénaire a été très difficile pour moi ; je traînais trop de choses du passé dans cette ère nouvelle. J'avais entre autres dans mes bagages un cœur déchiré, un esprit divisé et un manque de foi en un monde aimant. D'une journée à l'autre, je ne savais pas si ma vie allait s'allumer ou s'éteindre. J'en savais toutefois assez pour comprendre que je devais vivre mes expériences un jour et un moment à la fois, si je désirais revoir une lueur d'espoir. Mes explorations de méditations et de vie en pleine conscience m'avaient enseigné que rien ne durait pour toujours et que demain était un nouveau jour, un nouveau départ avec d'infinies possibilités.

Mon esprit savait exactement ce que je devais faire mais transformer cette connaissance en actes était une toute autre chose. Je passai deux années en solitaire à prier pour qu'on me montre ma voie et à chercher à comprendre ma raison de vivre. Je m'asseyais en silence et attendais que l'inspiration

vienne me sortir du gouffre. On répondit finalement à mes prières : je fus touché par l'Amour de Dieu, mais à travers mes mains qui m'enlaçaient tendrement. Dans cet embrassement, je sentis soudain le soulagement, le réconfort et la force intérieure pour faire face à ma souffrance, ce qui me permit enfin d'entreprendre ma démarche vers la guérison et la rédemption.

Maintenant, lorsque je me sens déconnecté de mon moi intérieur, lorsque je suis troublé, inquiet ou anxieux, je prends le temps de m'étreindre. Je commence par créer un environnement paisible et silencieux autour de moi. Ensuite, je m'assieds confortablement et j'entoure mon corps de mes bras. En fermant les yeux, j'observe ma respiration qui circule profondément et naturellement à travers moi. Puis mon corps commence à se balancer lentement. Il arrive que je récite un mantra, ou que je chante doucement ; je trouve que ceci ajoute au sens sacré de l'expérience. Parfois, une vague d'émotions fait irruption en moi, ce qui me porte à sangloter de façon incontrôlable, à rire ou à devenir agité. Au début, cela m'inquiétait mais avec le temps, j'ai compris que ces éclats émotifs étaient normaux puisque des émotions réprimées s'échappent et montent à la surface lorsqu'on se raccorde à notre cœur. Je laisse donc simplement passer l'émotion en continuant de me bercer. Après quelque temps, les perturbations de mon esprit s'apaisent, une paix m'enveloppe et je peux me reconnecter avec l'essence divine de mon moi intérieur. Quelle sensation de bien-être que ce retour chez soi ! Là où se trouve notre cœur se trouve notre foyer, à l'intérieur de notre être.

Après une quinzaine de minutes ou selon le temps dont je dispose, je termine l'étreinte. D'habitude, je poursuis par une période de méditation, de réflexion ou de prière. Ceci favorise le rapprochement avec le sacré intérieur et permet d'exprimer la reconnaissance pour le réconfort et les inspirations reçues.

LE CÂLIN BERÇANT - *Catégorie : enveloppant*

L'intention de ce câlin en est une de compassion, de tendresse et d'empathie. Normalement, une des deux personnes console tandis que l'autre est consolée, quoiqu'il arrive que les deux personnes en besoin se réconfortent mutuellement en pleurant et en s'entrelaçant en même temps, ou chacune à leur tour. Peu importe le cas, il demeure qu'une des personnes aura à jouer un rôle de pilier pour l'autre.

Lorsque je réconforte quelqu'un de cette façon, je m'imagine en train de bercer un petit enfant fragile et précieux, ce que nous sommes, en fait, lorsque nous nous trouvons dans un état de vulnérabilité. Si l'émotion jaillit en la personne, je resserre l'étreinte en caressant doucement sa nuque ou sa tête. Ceci est un geste très intime et très réconfortant qui communique à l'autre personne que vous êtes sensible à sa détresse et qu'elle est en sécurité dans vos bras. Dans un réflexe naturel, la personne peut poser sa tête sur votre épaule et pleurer. Ce moment est merveilleux car il permet de relâcher les émotions refoulées et peut donc être extrêmement libérateur. Bercer la personne en peine, lui souffler des mots d'encouragement ou lui chanter une douce chanson peut avoir un effet calmant assez puissant et peut aussi amplifier son réconfort. La durée de ce câlin dépend du besoin, je laisse toujours le receveur décider. Ce temps de guérison lui appartient, et je suis heureux de le combler en lui offrant toute mon attention.

Si l'étreinte vous est adressée et que vous vous sentez bien dans les bras de la personne qui vous console, laissez-vous aller ; fondez dans la caresse et

permettez à votre souffrance de faire éruption pour qu'elle puisse bénéficier du réconfort qu'on lui offre. Ce câlin est un présent du cœur, expérimentez-le pleinement ! Il serait ensuite bon de prendre le temps de revenir à vos sens et d'exprimer votre gratitude à votre partenaire.

Note : L'expression «mot d'encouragement» que j'ai utilisée ci-haut veut dire exactement ce qu'elle exprime. Évitez donc de porter un jugement critique en disant à la personne en détresse de ne pas pleurer, que la vie n'est pas si terrible ou que tout va s'arranger. De plus, la personne en crise ne veut pas entendre ces mots puisque dans sa réalité présente, la vie est terrible. Enfin, ces mots dénotent un manque de respect. Si vous vous sentez mal à l'aise devant sa détresse, rester silencieux et fort vaut mieux que de dire des platitudes. Le silence peut être très réconfortant. Si les mots sont nécessaires, dites-lui que vous êtes là et qu'elle peut compter sur vous. Ce câlin est très altruiste, toute votre énergie doit être axée sur l'appui et le réconfort à prodiguer à la personne en détresse. Si vous ne savez pas quoi dire, laissez votre étreinte parler d'elle-même.

LE CÂLIN ZEN - *Catégorie : enveloppant*

Être zen, c'est être entièrement conscient de ce que vous vivez à chaque instant. Durant les années '90, j'ai passé une partie de mes hivers à Manzanita, une retraite de méditation isolée dans le sud de la Californie. Guidé par mes amis et mes mentors spirituels, Caitriona et Michèle, j'appris à approfondir ma pratique de méditation, à développer un état de pleine conscience et à devenir une âme bienveillante. Ce fut là, à proximité du désert Anza Barrego, que ma pratique spirituelle a pris racine, qu'elle a grandi et où j'ai appris à l'incorporer dans mes activités quotidiennes. Différentes techniques de méditation me furent enseignées : la méditation réflective, la méditation amour-compassion, la méditation de travail, la méditation de marche et même la méditation d'étreinte, qui fut créée d'ailleurs par nul autre que le guide spirituel de mes mentors, «le grand maître zen vietnamien Thich Nhat Hanh».

Le câlin zen est structuré, formel et révérencieux. N'oubliez pas que c'est un moine bouddhiste qui l'a conçu pour pouvoir s'exprimer d'une manière respectueuse devant une communauté américaine laïque, qui s'exprimait physiquement de façon très démonstrative. Voici donc le câlin zen comme je le pratique :

Mon partenaire et moi nous regardons avec respect et révérence. Nous inspirons profondément et longuement, chacun joint ses paumes au niveau du cœur et nous nous saluons mutuellement. Ce salut respectueux est une façon de reconnaître la présence de l'Esprit divin en soi-même tout en honorant l'Esprit divin en l'autre. Après la salutation, nous nous étreignons mutuellement avec pleine conscience.

Nous arrivons au point culminant de ce câlin qui dure habituellement le temps de trois respirations lentes et profondes. Durant la première respiration, je porte mon attention sur mon état d'être vivant ici, maintenant, en cet endroit. À la deuxième inspiration, je tourne mon attention vers mon partenaire, à sa présence en ce lieu, et au plaisir que j'éprouve à être ici avec lui en cet instant. À la troisième et dernière respiration, je prends pleinement conscience de tous les sentiments que ce moments de partage avec un autre être humain, éveille en moi. Avant de quitter ses bras j'exprime ma reconnaissance envers lui en imprégnant notre étreinte d'amour-compassion. En gardant cette intention dans mon cœur, je me sépare lentement de mon partenaire. Puis, en souriant, je le salue encore une fois pour lui signifier mon appréciation et ma gratitude. Voici donc comment j'ai appris à embrasser le moment présent par le biais de la pleine conscience.

Cette approche a donné non seulement un aspect sacré à un geste que j'avais toujours perçu comme un signe d'accueil superficiel, mais aussi un sentiment réel d'intimité et de compassion. Après réflexion, je peux dire sincèrement que ce que j'ai vécu à Manzanita a eu un impact important sur ma vie. C'est là, au bord du désert, que furent semées en moi les premières graines d'amour-compassion pour l'humanité et pour la vie elle-même. Quelques années plus tard, elles allaient germer dans mon cœur fertile afin que Monsieur Câlin puisse naître, s'épanouir et remplir ma vie de joie. Je serai éternellement reconnaissant d'avoir reçu ce cadeau.

LE CÂLIN DU CŒUR - *Catégorie : enveloppant*

On me demande souvent ce que les étreintes de Monsieur Câlin ont de si spécial, pourquoi les gens reviennent pour en redemander encore et encore, et pourquoi ils recommandent à leurs amis de venir me voir. Comment pourrais-je décrire ma technique ? En fait, c'est un mélange de plusieurs câlins que vous retrouverez dans cette section : le câlin de soi, le câlin berçant, le câlin zen et le câlin de Dieu. Mais là encore, ce n'est pas la technique qui anime le câlin du cœur mais bien l'intention d'amour inconditionnel, de bienveillance, de révérence et le lâcher-prise joyeux, à la Gloire de Dieu qui nous habite.

Voici comment d'autres ont décrit cette étreinte : «C'était une expérience profonde et émouvante. Son câlin était beaucoup plus sincère que je ne l'aurais anticipé et beaucoup plus intime aussi. Au début, j'ai senti la force de ses mains dans mon dos lorsqu'il m'a enlacé et qu'il a attiré ma poitrine vers la sienne. C'était réconfortant et intime. Il respirait profondément et lentement ; c'était énergisant mais en même temps un calme m'envahissait, je m'abandonnais dans ses bras. C'est à cet instant que j'ai ressenti un échange incroyable d'énergie comme si mon chakra du cœur s'était ouvert et que nos cœurs s'étaient connectés. Nous sommes restés enlacés ainsi un long moment. Puis nous avons tous les deux signifié notre

contentement en resserrant l'étreinte et nous nous sommes mis à rire doucement. C'était vraiment un beau moment ! Ensuite, il a relâché sa prise et nous nous sommes lentement séparés en nous regardant et en souriant. Je suis demeuré avec un sentiment de paix, de joie et d'amour tellement grand que j'aurais voulu faire vivre une telle expérience à tout mon entourage».

Il est plutôt improbable que toutes les personnes que j'étreins vivent l'expérience de la même façon. Évidemment, le tout dépend de la réceptivité de la personne et de la connexion énergétique qui s'établit entre nous. De plus, même si mon désir d'offrir des câlins est constant, il n'en demeure pas moins que ma capacité à transmettre l'amour-compassion varie selon mon niveau d'énergie, mon ouverture de cœur et mon état d'âme. Finalement, l'étreinte est un échange d'énergie et d'intentions ; même si je donne un câlin du cœur, rien ne m'assure que mon partenaire est prêt à le recevoir avec une ouverture de cœur.

Au moment de mettre cette traduction sous presse, j'aurai partagé plus de 75 000 câlins et malgré ce nombre, je m'efforce toujours de donner chaque câlin comme si c'était mon premier et mon dernier. Cette attitude m'aide à ressentir une fraîcheur et à investir mon sens de la découverte dans chaque étreinte, faisant de chaque câlin une aventure véritable et authentique.

LE CÂLIN DE L'ÂME - *Catégorie : formel*

Ce joyau est un accueil de l'esprit qui est partagé, entre autres, par des moines tibétains. J'ai inclus cette forme de câlin dans cette section car je trouve que la connexion à l'essence de l'autre est profondément intime. Pour moi, le câlin de l'âme est une étreinte spirituelle.

De manière formelle, les deux moines se font face comme des frères d'âme et se regardent chaleureusement et avec joie. Une respiration profonde s'ensuit, puis un sourire, et comme dans le cas du câlin zen, ils se saluent mutuellement avec révérence. En maintenant leur attention sur leur respiration et la présence de l'autre, ils inclinent leur tête vers l'avant jusqu'à ce que les fronts se touchent, juste en haut des sourcils. Dans les traditions bouddhistes, cet endroit est appelé le «troisième œil» et représente le chakra de la conscience et de la compréhension universelle. Les yeux clos, ils poursuivent leur respiration profonde, leur attention toujours fixée sur la présence intime de l'autre.

Puis, ils se séparent le temps de plusieurs longues respirations, se saluent et poursuivent leur chemin. C'est un rituel qui est beau et émouvant à observer mais encore plus exaltant à vivre.

Partager un câlin de l'âme a toujours été une expérience enrichissante pour moi et depuis que j'ai entrepris l'écriture de ce livre, je l'ai pratiqué avec plus de régularité, particulièrement avec mes amis proches. L'expérience procure un sentiment instantané d'interconnexion, de paix intérieure et de rapprochement des âmes qui est sans précédent.

Lorsque vous essaierez ceci, n'oubliez pas l'importance de la respiration. Cette force de vie qui unit tous les êtres vivants de cette planète nous rend également plus conscient de notre unité avec l'univers.

LE CÂLIN DU PARDON - *Catégorie : formel*

Ceci est une adaptation du câlin de l'âme créée spécialement pour deux individus qui ont un lien de parenté, d'intimité ou d'amitié, qui désirent guérir leur cœur blessé et se rapprocher l'un de l'autre en utilisant l'écoute, l'acceptation et le pardon. C'est également une bonne manière pour un couple d'approfondir leur communication et de solidifier leurs liens intimes. J'ai expérimenté ce câlin à de nombreuses occasions et je peux dire qu'il a vraiment aidé à intensifier la communication et la compréhension dans mes relations.

Lorsque la peur, la colère, la douleur et / ou le doute ont créé un fossé entre vous et la personne chère, il est souvent difficile de se réconcilier sans tomber dans le blâme, la culpabilité et la récrimination. On a alors besoin d'un terrain neutre où chaque individu peut exprimer sa souffrance, ses envies et ses besoins, de façon respectueuse et sécuritaire. Si les deux parties en expriment la volonté, ce câlin guérisseur permettra l'accomplissement d'une compréhension profonde, une réconciliation et un rapprochement intime. Il crée un nouvel environnement propice à l'échange, où les deux partenaires peuvent s'écouter et se pardonner pour ensuite poursuivre leur relation d'un cœur plus léger et avec un regard nouveau

Le couple dispose de tout le temps dont il a besoin. Je suggère fortement de vous tenir les mains durant cette étreinte. Comme dans le cas du câlin de l'âme, les deux individus doivent adopter une attitude de respect, d'humilité et de révérence, en prenant des respirations lentes et profondes et en se regardant dans les yeux. Le tout dans un climat de calme et de silence.

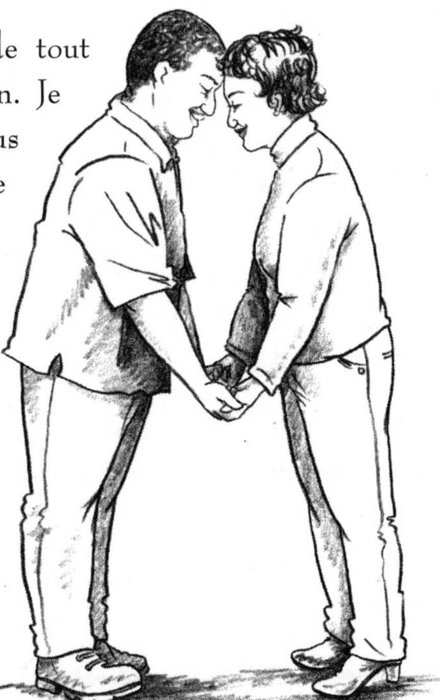

À ce stade, évitez de parler : vous en aurez l'occasion sous peu. Lorsque la nervosité, l'appréhension ou l'inconfort se manifeste, montrez de la compassion envers vous-même et envers votre partenaire ; ces états d'âme finiront par passer. Prenez cinq bonnes respirations et réunissez vos fronts au niveau du troisième œil, puis fermez vos yeux. Gardez votre esprit dans le moment présent. Après une dizaine d'inspirations, l'un de vous peut exprimer par des mots ce qui monte de son cœur, que ce soit de la tristesse, de la souffrance, du pardon, de l'amour, de l'appréciation ou tout autre sentiment qui doit être exprimé. Après avoir tous les deux partagé vos vérités, relevez la tête, ouvrez vos yeux et reconnectez-vous avec vos corps. Souriez, pleurez, riez, embrassez-vous ou enlacez-vous... laissez votre tendresse vous inspirer au quotidien quant à la façon de nourrir cette intimité renouvelée.

Note : Afin de favoriser le processus de guérison, il est important de parler à tour de rôle et d'exprimer son propre ressenti, sans blâmer ou accuser l'autre. Tentez de débuter vos phrases par «Je…», «J'ai besoin…», «Je suis…» ou «Je ressens…». Laissez tout jugement de coté et écoutez réellement, avec votre cœur, ce que votre partenaire cherche à vous faire comprendre.

LE CÂLIN DE DIEU - *Catégorie : enveloppant*

Il est vrai que la prière et la communion avec Dieu sont un acte très personnel, un voyage intérieur qui ne peut être partagé avec autrui. D'habitude, les gens prient ou méditent à côté les uns des autres mais on les voit rarement établir un contact physique entre eux pour enrichir leur expérience dévotionnelle. Il est pourtant possible pour deux personnes de prier ensemble et d'expérimenter une union profonde à travers la communion avec l'Esprit. En établissant et en maintenant un proche contact physique durant ces rituels sacrés, on peut créer un lien émotif et spirituel profond et puissant. Ce câlin permet alors aux membres d'un couple non seulement d'ouvrir leurs cœurs individuellement à Dieu, mais aussi d'offrir au caractère sacré de l'Amour divin, les espoirs, les défis et les rêves de deux êtres unis par l'amour humain.

Jade et moi pratiquons cette étreinte régulièrement. Jade s'assied sur son coussin de méditation, le dos droit, les jambes croisées ou ouvertes et légèrement pliées devant elle. Je viens ensuite la rejoindre sur le même coussin et je m'assieds derrière elle. (Si vous désirez tenter l'expérience mais que vous êtes inconfortable sur un coussin, essayez sur le divan ou sur une chaise.) J'entoure son corps de mes bras et place mes mains sur son chakra du cœur. Elle vient alors déposer ses mains sur les miennes, et les yeux clos, nous portons notre attention sur nos respirations jusqu'à ce qu'elles s'unissent. L'union des respirations devrait se faire naturellement mais si tel n'est pas le cas, ne vous en faites pas. Nous demeurons ainsi dans le silence à respirer lentement et profondément pendant au moins quinze minutes.

Nous arrivons maintenant à la partie intéressante de ce câlin. Imaginez que dans votre cœur une lumière blanche remplie d'amour inconditionnel émerge. Cette illumination s'amplifie et irradie du centre de votre être jusqu'à pénétrer votre partenaire, pour ensuite revenir en vous, comme le flot de l'océan. À chaque respiration, la vague s'intensifie jusqu'à ce que vous soyez tous les deux enveloppés dans un cocon rayonnant de lumière blanche. Ayez la certitude que vous êtes en sécurité et que vous pouvez confier vos peurs, vos inquiétudes et vos souffrances au pouvoir de guérison de cette énergie lumineuse, qui est l'essence de la vie. Au moment où cette lumière nous enveloppe, je me sens embrassé par la présence de Dieu, de là le nom de «câlin de Dieu».

Avant de terminer la méditation nous envoyons une intention d'amour, de gratitude et de guérison aux gens qui ne sont pas présents avec nous ; famille, amis, et toute autre personne qui nous vient à l'esprit. Lorsqu'une personne en particulier croise mes pensées, c'est qu'elle est connectée à moi à ce moment-là et cette connexion permet à mon intention d'amour de la toucher et d'agir en elle. Nous terminons la méditation en silence par une prière de gratitude et nous nous séparons doucement l'un de l'autre.

Après la méditation, il est préférable de ne pas vous lancer trop vite dans une autre activité mais plutôt de vous laisser imprégner de silence, reflet de votre être profond. En fait, c'est le moment idéal pour partager un thé à la menthe et apprécier la douce présence de votre partenaire.
Est-ce que la vie peut être plus extraordinaire !

LES CÂLINS INTIMES

L'expression d'intimité physique entre deux personnes qui s'aiment est primordiale au développement et au renforcement du lien émotionnel, psychologique et spirituel et ce, à toutes les étapes d'une relation amoureuse. Aux débuts de la relation, le quand, le comment et le pourquoi des touchers semble tenir une place prépondérante dans les esprits ; puis, avec l'engagement qui apporte une stabilité à la relation, le nombre de touchers à caractère intime tend à décroître. Si l'intimité physique n'est pas intentionnellement entretenue, ces touchers peuvent éventuellement disparaître. Les spécialistes en thérapie relationnelle cherchent constamment de nouvelles techniques susceptibles d'aider leurs clients à reprendre contact avec eux-mêmes et avec les gens qu'ils aiment par des moyens reliés à la sexualité ou non. Les touchers non-sexualisés tels que les câlins, les collades, se tenir la main, les massages et autres formes de caresses jouent un rôle majeur en laissant savoir aux partenaires qu'ils sont appréciés, respectés, désirés et aimés.

La sexualité pure est merveilleuse mais seule, elle demeure insuffisante pour maintenir et approfondir l'intimité au sein d'un couple. Sans la présence d'autres formes de touchers intimes et de témoignages d'affection, la relation ne peut à long terme que s'effriter. Une étreinte imprégnée d'amour et d'appréciation peut aider un couple à reconnecter et à nourrir le lien de communication qui les unit tant au niveau du corps, de la conscience, du cœur que de l'esprit.

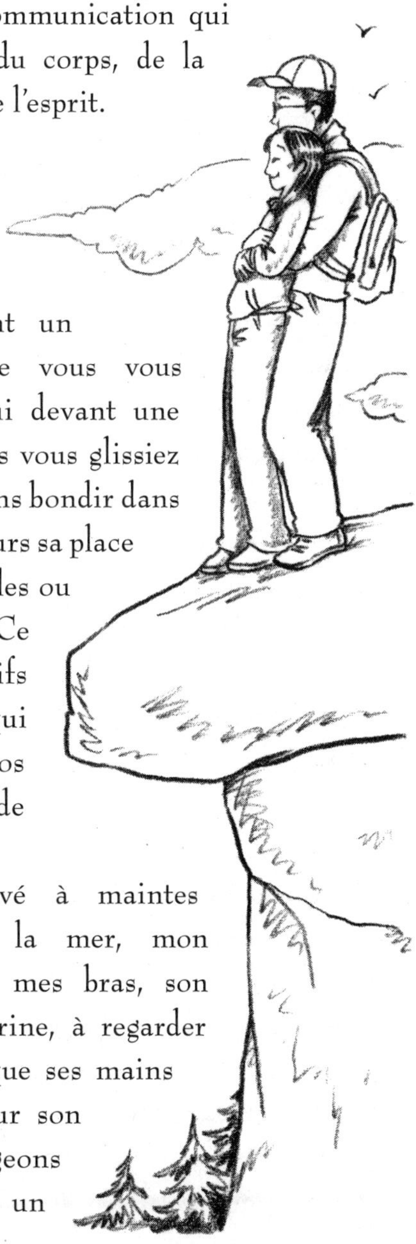

LE CÂLIN FACE-À-DOS

- *Catégorie : enveloppant*

Que vous le savouriez en contemplant un horizon flamboyant, que vous vous laissiez envelopper par lui devant une scène tragique ou que vous vous glissiez en lui en regardant les chiens bondir dans la cour, ce câlin aura toujours sa place parmi les moments agréables ou moins agréables de la vie. Ce sont ces instants significatifs ou sans grand intérêt qui forment le caractère de nos relations et la substance de nos souvenirs.

Je me suis retrouvé à maintes occasions au bord de la mer, mon amoureuse enlacée dans mes bras, son dos collé contre ma poitrine, à regarder le jour se dérouler. Lorsque ses mains retiennent les miennes sur son cœur et que nous partageons un même souffle dans un silence profond, je suis envahi par une joie paisible. Cette étreinte nous aide à nous lier intimement et à regarder dans une même direction, vers l'avenir, vers l'inconnu, en toute complicité.

Le face-à-dos est un câlin intime unificateur qui comporte des intentions d'espoir, de réconfort et d'acceptation. Pour le couple, il peut inspirer la confiance dans le potentiel d'avenir de la relation et exprimer un désir commun d'avancer ensemble, en sachant que les obstacles à venir ne pourront que les rapprocher. Pour d'autres, particulièrement lorsque la situation implique un étranger ce peut être une action instinctive de réconfort qu'on offre à une personne en état de détresse émotive ou psychologique. Un profond silence accompagne habituellement cette étreinte, puisque les mots ne sont pas essentiels lorsque l'intention de réconfort de la personne qui étreint est intuitivement perçue par l'autre.

LE CÂLIN DANSANT - *Catégorie : enveloppant / formel*

Pour les nouveaux amoureux pleins d'espoir comme pour les plus anciens, de tous âges, les danses lentes communément appelées les «slows» peuvent être sublimes... ou stressantes. Des gymnases d'école aux salles de bal, des banquets aux chics clubs de nuit, des salles communautaires aux salons intimes, ce câlin dansant a charmé bon nombre de romantiques. Combien d'entre nous sommes le produit de l'amour qui a grandi dans le balancement hypnotique de

cette danse ? Je suis indubitablement l'un d'eux.

Il existe deux variantes à cette danse. La première, de nature formelle permet de garder une certaine distance tandis que l'autre est très intime et passionnée. La deuxième variante sera l'objet du prochain câlin.

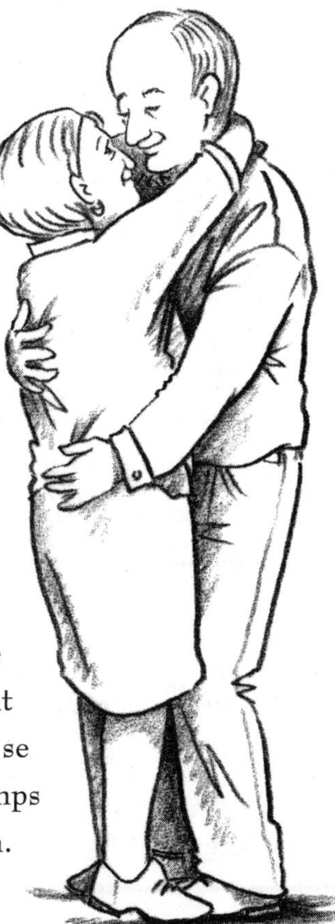

Le décor et l'environnement déterminent en partie le degré d'intimité qu'aura le câlin mais dans la plupart des cas, l'élément majeur demeure le rapport qui existe entre les personnes. Lors d'une première rencontre, on utilisera vraisemblablement la variante formelle alors qu'on est encore incertain du degré de rapprochement que l'on désire. Les gens qui se fréquentent depuis longtemps peuvent également préférer ce câlin. Tellement habitués à la présence de leur partenaire, ils deviennent moins physiques ; l'expression d'une trop grande manifestation affective en public pourrait alors ne pas s'avérer nécessaire ou sembler tout à fait inappropriée. Même s'il est formel, le câlin dansant peut être rempli de désir, de tendresse et d'affection amoureuse. Le contact des yeux est primordial. Ici, la communication prévaut sur la sensation.

LE CÂLIN OSÉ - *Catégorie : enveloppant*

Voici la version sensuelle et sexuelle du câlin dansant, idéale pour les duos romantiques, aventuriers, exhibitionnistes, sur-stimulés ou aveuglés par l'amour qui désirent prendre le monde à témoin de la passion et du désir que l'amour provoquent en eux. Ces charmants couples n'ont pas conscience du monde qui les entoure tellement ils sont absorbés à satisfaire leurs cœurs et leurs corps.

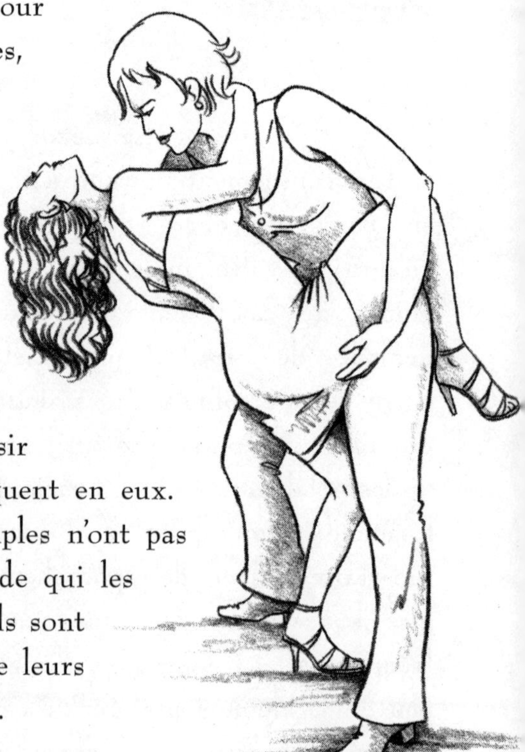

Ils glissent sur le plancher de danse sur un rythme qu'eux seuls peuvent entendre. Cœurs battants, souffles entremêlés, ils s'enveloppent de leurs bras et de leurs jambes, les cuisses poussant avec insistance au diapason de leur passion. Les personnes semblent se fondre l'une dans l'autre, entourées par un cocon d'intimité. Les mains baladeuses touchent et caressent, on se mordille les oreilles, on hume l'odeur du partenaire et des mots affectueux sont murmurés. Tout converge pour diriger nos deux amoureux réunis au centre du plancher de danse vers un endroit plus approprié pour expérimenter... un autre genre de danse.

Le câlin passionné - *Catégorie : enveloppant*

Extension naturelle du câlin dansant, ou à tout le moins du câlin osé, cette étreinte libidineuse entonne l'hymne universel des nouveaux amoureux partout dans le monde. S'ils n'ont pas de nid d'amour à eux ou s'ils veulent éviter l'attention des curieux, les intéressés choisissent un coin tranquille, comme une cage d'escaliers vide ou une voiture stationnée. Certains, plus audacieux, n'hésitent cependant pas à se donner en spectacle au milieu d'une allée de supermarché.

Le câlin passionné est une combinaison de caresses, de baisers et de touchers ; une exploration sensuelle non-précipitée. Vous pouvez expérimenter ce câlin dans toutes sortes de positions quoique, debout en s'appuyant semble être la favorite. L'étreinte peut durer des heures, entrecoupée de courtes périodes de répit et de badinage. Ce rituel de courtisanerie avancée peut permettre à un couple de se découvrir de façon intime, sans s'engager dans une relation sexuelle complète. D'un autre côté, ce câlin pourrait aussi donner aux tourtereaux l'envie d'être encore plus aventureux et de transformer la sensualité de leurs caresses en une passion dévorante.

LE CÂLIN TANTRIQUE - *Catégorie : enveloppant*

Le tantra est la voie vers l'illumination spirituelle par l'accroissement et la transformation de l'énergie sexuelle féminine et masculine en une énergie spirituelle. Les techniques tantriques utilisent le corps et la respiration pour aider ses adeptes à trouver plus de joie et d'extase dans leur vie en leur enseignant à demeurer présent à la réalité de leurs sens.

En explorant la nature spirituelle de la sexualité, Jade et moi aimons créer une atmosphère qui inspire le sens sacré de la sensualité. Pour l'occasion, nous utilisons chandelles, musique, encens, fleurs, objets significatifs, parures corporelles, nourriture et boissons sensuelles, ou tout autre élément qui serait susceptible de stimuler nos sens et notre désir. Nous préparons tout d'abord notre espace ensemble. Nous nous préparons ensuite en prenant un bain aromatique ensemble ; nous nous lavons et nous séchons mutuellement et laissons notre désir croître, nourri par nos regards, nos touchers et notre respiration. Puis, lorsque nous entrons dans notre espace sacré, notre sanctuaire sensuel, nos corps et nos esprits sont détendus et tous nos sens sont en éveil.

Cette étreinte a pour objectif d'apporter confort, complicité et confiance et de créer une profonde connexion entre les partenaires. Il faut donc laisser la gêne de côté et réellement regarder votre partenaire, vraiment toucher son cœur et son âme avec vos yeux, vos doigts et vos lèvres. Ici, la sensualité prend le dessus sur la sexualité. C'est le moment d'explorer et de donner libre cours à votre curiosité, toujours dans une attitude de respect profond. La respiration est primordiale dans le tantra ; c'est ce qui vous enracine et qui vous connecte l'un à l'autre. Pendant ce rituel, gardez votre attention sur votre souffle en inspirant régulièrement et profondément et en le dirigeant vers le bas de votre ventre. Lorsque vous vous sentez tous

les deux prêts, il est temps de vous engager dans la caresse tantrique.

La femme fait face à son partenaire et descend sur lui lentement jusqu'à ce qu'elle soit entièrement pénétrée par ce dernier. Confortablement assise, elle place ses jambes de chaque côté de son partenaire en refermant la prise derrière lui par un crochet de pieds. Les deux êtres s'enlacent de leurs bras. C'est ici que le voyage commence. Ce n'est pas une course vers l'orgasme ni un déni de ce dernier ; le câlin tantrique est une exploration sensuelle de minute en minute, menant à un état d'unité. Synchronisez votre respiration et laissez-la guider vos impulsions. Profitez du voyage et laissez-vous surprendre par sa destination. Si vous atteignez la jouissance, partagez votre plaisir avec votre partenaire en pénétrant son regard de vos yeux.

Ceci peut être un moment très puissant pour vous deux. Soyez confiant que votre respiration, votre conscience, votre intuition et votre désir d'expérimenter cette union profonde sauront vous guider.

LES COLLADES

La collade est la jumelle paresseuse de l'étreinte. L'étreinte est un geste actif axé sur l'intimité et l'interrelation puisque son intention délibérée est fixée sur l'expérience en tant que telle, qui ne dure rarement plus que quelques minutes. La collade, de son côté, représente la détente à son paroxysme, une expérience ultime de relaxation et de nonchalance. Le secret d'une bonne collade est l'aspect «confort» qui peut lui permettre de se prolonger durant des heures. Il n'y a pas d'objectif à la collade à part celui de flâner dans l'étreinte chaleureuse de quelqu'un tout en étant engagé dans une autre activité. Voici par exemple des moments où la collade pourrait s'avérer un choix judicieux : pendant une conversation intime, en regardant la télévision, en lisant un livre, en se réveillant ou en faisant une sieste. Ceci ne veut pas dire que la collade soit inutile ! Pas du tout ! Les collades nous permettent de passer du temps précieux en bonne compagnie !

LA COLLADE DÉTENTE

Je venais à peine de terminer l'introduction de cette section lorsque Jade est arrivée à la maison avec notre mets favori : du tofu Général Tao avec riz à la vapeur et aubergines szechuennaises. Pendant qu'elle préparait un thé vert japonais, je saisis au passage plusieurs coussins que je lançai ensuite sur le sofa.

Puis nous avons regardé un DVD ensemble, bols et baguettes chinoises en mains, blottis l'un contre l'autre, heureux de partager ce simple repas. Installés confortablement, nous étions prêts pour notre soirée de cinéma et heureux de profiter de la présence l'un de l'autre. Avec notre nouveau petit chaton, Mystik, nous pourrons maintenant nous blottir à trois.

Nous ne regardons pas toujours des films durant nos collades ; nous avons tous les deux des vies très chargées et les soirées représentent souvent le seul moment de qualité que nous avons la chance de partager. Lorsque nous flânons sur le divan ou dans le hamac, nous nous reconnectons en relatant les événements de la journée. Pour nous, cette simple forme d'intimité crée un lien plus profond que

l'intimité sexuelle. Tout comme les individus ont besoin de moments de tranquillité bien à eux, les couples ont besoin de temps non-sexualisé pour se reconnecter ensemble et ce, spécialement s'ils sont parents.

Vous pouvez faire des collades à vos animaux, vos enfants, vos amis et toute votre famille si le cœur vous en dit. Les collades familiales demeurent une excellente façon de maintenir l'esprit et l'unité familiale et permettent d'exprimer confiance, appui, joie de vivre et amour inconditionnel. Elles servent aussi à transmettre aux plus jeunes ces merveilleux rituels d'intimité, pour qu'à leur tour ils puissent les adopter et les utiliser dans leur propre vie. Si nous voulons que nos enfants grandissent en étant bien dans leur peau et qu'ils aient l'habileté nécessaire à exprimer leurs besoins intimes de façon saine, il est alors important de leur enseigner qu'il est beau et tout à fait naturel de donner et de recevoir de l'affection.

Les collades peuvent devenir un rituel important pour un couple ou une famille s'ils prennent le temps de réellement partager ce moment d'unité. Avec l'arrivée des télévisions format géant, des jeux vidéo et autres divertissements qui rivalisent pour obtenir notre attention, les collades peuvent souvent se transformer de partage en solitude. Eh oui ! Même en étant ensemble physiquement, on peut facilement demeurer dans sa propre bulle, distrait et déconnecté de l'autre. Rappelez-vous que même s'il y a présence de distractions, vous partagez ce temps avec un être cher. Peu importe le lieu où vous l'exercez, la collade demeure une opportunité optimale où la communication et l'intimité peuvent se développer. Faites en sorte de nourrir ces précieux instants.

LE COCOONING

À certains moments, nous avons tous besoin d'échapper aux rigueurs du monde extérieur pour nous réfugier dans notre monde intérieur. Que ce soit à cause de la peur, de la détresse, de l'inconfort ou simplement par besoin de solitude, le cocooning nous offre un isolement confortable qui s'apparente aux confins sécuritaires et chaleureux de l'utérus. C'est un acte d'amour pour soi-même au même titre que le câlin de soi mais c'est aussi un acte d'auto-préservation.

Un certain nombre de thérapies axées sur la respiration utilisent cette position de fœtus enveloppé

comme technique susceptible de favoriser la guérison et la transformation. Il n'y a pas de mains qui vous entourent, seulement une couverture ou une douillette moelleuse qui vous enveloppe. Vous reposez là, dans l'atmosphère douce et sombre de votre solitude, où toute sensation intérieure peut être révélée et souffrance atténuée. Votre cocon est un endroit tranquille et privé où vous pouvez mettre de côté les difficultés de la vie, réfléchir et faire face à votre réalité. C'est un environnement sécuritaire où vous pouvez vous départir des peaux mortes qui masquent votre beauté et, comme un papillon, renaître avec une force intérieure et un espoir renouvelés.

Note : Si vous êtes le moindrement claustrophobe ou si vous souffrez de problèmes respiratoires, il serait préférable de dégager votre figure ou votre tête de manière à faciliter votre respiration.

LA CUILLÈRE

Lorsque vous prenez deux cuillères et que vous les mettez l'une par-dessus l'autre, elles s'emboîtent aisément. Il n'est donc pas surprenant que cette collade s'adapte à merveille au couple qui désire dormir ou simplement faire une petite sieste. La chaleur, la satisfaction, le confort et la paix que procure cette collade rappellent l'utérus, mais pour un voyage à deux. Ne nous demandons pas pourquoi les jumeaux ont un lien si étroit ! La cuillère est un moyen de développer ce genre de symbiose entre deux personnes intimes. Je me demande pourquoi on dit «se coller en cuillère» et non pas «se coller en fourchette», puisque deux fourchettes s'emboîtent aussi bien. De toute manière, un jumelage parfait demeure un jumelage parfait peu importe sa forme !

Comme nos deux cuillères, les partenaires s'emboîtent l'un derrière l'autre, découvrant une position parfaite pour s'abandonner au sommeil et aux rêves. La cuillère est également une position sexuelle populaire puisqu'elle est très intime et sensuelle, allouant un plein contact des corps, tout en laissant les mains libres pour caresser ou stimuler. C'est aussi une position très confortable et même recommandée pour les relations intimes durant la grossesse.

LA COLLADE MATINALE

Jade insistait pour que j'ajoute ce joyau sublime à ma collection ; ce câlin qui l'incite à entreprendre chaque jour nouveau avec confiance et reconnaissance.

Tous les matins, quand le jour s'infiltre dans nos cœurs encore endormis, nous nous tournons l'un vers l'autre pour nous enlacer dans une étreinte profonde. Durant ces précieuses minutes, nous remettons à plus tard les activités de la journée pour pouvoir nous réjouir du rapprochement de nos cœurs.

J'ai demandé à Jade de décrire ce que ce rituel matinal représentait pour elle. Voici ses mots : «Accueillir la journée dans l'amour, le réconfort et la tendresse me sécurise ; je sais que je ne suis pas seule sur mon chemin et que peu importe ce que la journée m'apportera je serai appuyée et appréciée par la présence et l'amour de mon partenaire.»

De mon côté, j'estime que nos collades matinales ont approfondi notre niveau d'intimité et de complicité. Elles ont certainement joué un rôle important en nous aidant à surmonter de manière optimiste et respectueuse les moments difficiles qu'une vie de couple peut engendrer. Ce rituel, accompagné de tendresse et de mots d'amour est devenu un aspect tellement important dans notre relation que lorsque nous laissons un matin passer sans collade, on ressent le manque de cette petite douceur pour le reste de la journée.

Parfois, même avec les meilleures intentions, il arrive qu'un de nous s'endorme contrarié. Cette collade nous aide à pardonner et à renouveler la foi en notre partenaire et en notre désir de demeurer ensemble. Pour maintenir l'harmonie et l'amour dans un couple, l'investissement se résume à peu de choses : une touche d'appréciation, des mots d'encouragement, des actes de tendresse, le tout encadré d'une attitude de respect. L'apport quotidien de ces éléments dans notre relation a aidé à mieux enraciner notre union pour qu'elle puisse continuer à croître et à s'épanouir, saison après saison.

LA COLLADE MOUSSEUSE

J'adore prendre des bains ! Peut-être parce que je n'ai pas de douche mais seulement un bain antique sur pieds qui convient parfaitement à deux personnes. En tout temps, je suis heureux de noyer mes soucis en lisant un bon livre ou en relaxant en compagnie de ma bien-aimée, sous une épaisse couverture de mousse, où flottent petits canards et fleurs de lotus. Lorsque je demeurais en Thaïlande, une jeune femme de l'endroit m'a initié aux plaisirs des bains partagés, au bord d'une petite cascade, au beau milieu des montagnes et des rizières, durant un coucher de soleil splendide. La beauté et le romantisme de cette expérience sensuelle m'a marqué pour la vie. Depuis ce temps, la baignade à deux est devenue un de mes rituels préférés de purification.

Il est bien évident qu'il n'y a rien de tel qu'un bon bain moussant et odorant pour faire fondre les tensions de la journée ou éveiller les passions pour la soirée. La collade mousseuse requiert quelques essentiels : un bain assez grand pour deux, des chandelles, des huiles essentielles, du gel moussant (pour les bulles), une grosse éponge, une musique d'ambiance, une poignée de pétales de rose qu'on déposera dans la baignoire (disponibles chez tout fleuriste), une théière remplie de thé chai, un livre de poésie érotique et quelques grand draps de bain pelucheux pour l'après-collade.

LES PARTIES DE COLLADES

Un étrange type d'activité sociale a vu le jour dans plusieurs villes nord-américaines. En fait, ces événements où les gens peuvent se rencontrer et se coller sont devenus une sorte de mode. Je vois ce phénomène comme la tendance d'aujourd'hui et comme la vague de demain. Les parties de collades s'affichent comme étant des partages d'affection de choix entre amis, couples et étrangers qui désirent partager de l'intimité physique non-sexualisée avec d'autres personnes, dans un environnement sécuritaire, ouvert et qui inspire la confiance. Au menu : affection inconditionnelle, touchers de tendresse et communication authentique.

Les adeptes de ces rassemblements se rencontrent à un endroit prédéterminé. Ils enfilent leur pyjama le plus chouette et, munis de leur toutou ou de leur oreiller préféré, choisissent un coin confortable pour s'y installer, prêts pour un partage d'affection. Vous pouvez être invité à joindre une personne ou un groupe pour une collade ou vous pouvez aussi lancer l'invitation. Vous pouvez également demeurer seul un moment, histoire de vous familiariser. Vous observerez autour de vous les gens se coller, se toucher, se bécoter, discuter, écouter ou simplement vivre pleinement l'expérience. Pas de baisers langoureux, de touchers déplacés, de drogues ou de substances qui altèrent les esprits, seules les tendresses et les caresses sont acceptées. Il peut même y avoir un moniteur ou deux pour veiller à préserver le caractère sain de l'événement, et à appliquer les règles appropriées afin d'assurer à tous une expérience agréable et sécuritaire. Joyeuses parties de collades!

LES CÂLINS À PLUSIEURS

Nous ne sommes pas des îles perdues dans l'immensité d'un océan, succombant dans la solitude aux marées toujours changeantes de la vie. Nous sommes plutôt les gouttelettes qui forment les vagues de l'océan : insignifiantes lorsque seules, mais combien puissante lorsque réunies. Ce même pouvoir énergétique de transformation et de bien-être s'applique également pour un couple, une famille, un groupe, une équipe ou une communauté. Ce n'est que lorsqu'on décide d'avancer ensemble dans la vie, à l'unisson, que la confiance, la compréhension, le respect et l'amour inconditionnel peuvent se développer.

Le câlin n'est certainement pas un acte limité à deux individus. En fait, plus il y a de personnes qui participent au câlin, plus il devient plaisant et énergisant. Il n'y pas de limites quant au nombre de participants. À ce jour, le record officiel du plus gros câlin a nécessité la participation de 5 117 personnes. Quel rassemblement fantastique !

On organise régulièrement, un peu partout sur la planète, des événements tels que les «Rainbow gatherings» et les journées de câlins qui attirent des centaines et parfois des milliers de personnes de toutes les sphères de la société. Alors, que vous soyez trois ou 5 000, ouvrez vos bras, laissez vos cœurs s'envelopper dans la tendresse humaine et faites place à la célébration !

LE CÂLIN EN TRIANGLE

Étreindre un couple est un de mes câlins préférés. Il est sublime de baigner dans l'affection chaleureuse que deux amoureux éprouvent l'un pour l'autre ! J'ai eu la chance de vivre cette expérience à plusieurs reprises et chaque fois je me sentais privilégié de partager cette intimité vibrante. Lorsque le couple reçoit l'amour et l'affection en tant qu'entité plutôt qu'en tant qu'individus, ceci a pour effet de renforcir leur engagement et réaffirmer l'amour et l'appréciation qu'ils ressentent l'un pour l'autre.

Quand j'étreins un couple, je les considère naturellement comme une entité plutôt que comme deux individus. Je ne veux pas manquer de respect aux individus ; c'est seulement que leur complicité les unit et c'est la façon dont ils approchent instinctivement le câlin avec moi.

Ils se réunissent alors dans mon étreinte et ensemble nous célébrons leur union.

Les couples sont souvent surpris du sentiment merveilleux que cela leur procure. Et moi, ça m'apporte énormément de satisfaction de les voir repartir main dans la main ou collés l'un contre l'autre, sachant que certains ne se touchaient même pas à leur arrivée.

Les triangles qui ne sont pas composés de couples intègrent trois énergies et trois niveaux différents d'intimité plutôt que deux. Les amies de filles partagent des secrets dans cette position, les frères et les sœurs s'encouragent, les membres d'une même équipe fraternisent, les étrangers trouvent réconfort et les enfants mijotent des plans espiègles.

LE CÂLIN FAMILIAL

Il y a quelque chose d'envoûtant à observer les membres d'une même famille entrer dans une caresse de groupe affectueuse. Il peut être difficile de maintenir une unité familiale harmonieuse mais c'est possible si vous y mettez du temps et du cœur. Des moments simples comme des échanges de rires, des touchers affectueux, des sourires d'appréciation ou des échanges de taquineries peuvent favoriser les liens familiaux. Donner de son temps est le plus beau cadeau qu'un parent puisse offrir à ses enfants qui se sentiront alors désirés, appréciés et dignes de recevoir de l'attention et de l'amour. Quand les membres d'une famille prennent le temps de se célébrer et de s'honorer les uns les autres dans le respect, l'amour et l'appréciation, l'effet se répercute sur les générations à venir. Une famille qui s'étreint est une famille qui s'aime ! Une famille qui rit ensemble est une famille heureuse ! Quelle meilleure façon de concrétiser ce lien que par une étreinte familiale ?

Lorsque vous entrez dans un câlin familial, n'oubliez pas de soulever les plus petits ou de vous pencher pour les accommoder. Si leur visage est écrasé sur le ventre de quelqu'un, il sera difficile pour eux d'apprécier l'échange d'affection. Quant aux membres de la famille qui sont gênés, têtus, qui rient et tentent de fuir l'étreinte ou refusent obstinément de participer à l'expérience, je suggère de les entourer d'une manière enjouée et invitante. Dans la majorité des cas, cette attitude allègre suffit à les intégrer dans l'étreinte ; même s'ils grognent au début, ils sont habituellement heureux par la suite. Si ce n'est pas le cas, laissez-les aller et continuez sans eux ; ils vont éventuellement être attirés par le plaisir et joindre les rangs.

Il est primordial de respecter les limites des autres mais il y a des moments où nous ne devons pas avoir peur de faire preuve d'amour-compassion en repoussant doucement ces limites quand on sait pertinemment que la personne pourra alors bénéficier de tout l'amour et de tout le réconfort dont elle a besoin.

LE CÂLIN DE GROUPE

Le câlin de groupe naît de l'union de trois personnes ou plus, qui s'assemblent pour former une masse de corps impénétrable. Que ce soit de façon spontanée et désorganisée, ou préparée dans un but prédéterminé, ce câlin s'expérimente dans diverses célébrations telles que les anniversaires, les graduations, les victoires ou pour unir des gens qui partagent une même expérience ou un objectif commun. La dynamique des deux variantes varie quelque peu quant à son approche et à son intention. La première se produit lorsque plusieurs personnes s'unissent spontanément en une masse de bras qui s'enlacent et de corps qui se compriment. Tous les participants ont du plaisir et partagent un sentiment de liberté qui stimule de façon merveilleuse. Le but est de s'amuser, de célébrer et de promouvoir l'esprit d'équipe et la camaraderie.

La seconde variation est plus ordonnée et plus posée. L'intention des participants est sincère et aimante. Deux ou trois personnes qui s'étreignent forment un noyau. Autour de ce noyau vient s'ajouter une couche de personnes qui étreignent les premières et d'autres couches humaines s'en suivent. Tous les êtres sont heureux de s'enlacer et de pouvoir partager leur affection.

Note : Si vous ressentez de l'inconfort dans les espaces étroits et que vous êtes du genre à paniquer facilement, le centre d'un câlin de groupe n'est pas une bonne place pour vous puisque la pression qu'exercent les corps vers le centre réduit au maximum votre capacité de bouger.

LE CÂLIN EN CERCLE

Les câlins en cercle se distinguent aisément des autres câlins de groupe par la différence qu'il n'y a personne au centre, ce qui donne l'image d'un beigne. Après avoir formé un cercle assez serré en s'agrippant par les épaules ou dans le dos, les participants se penchent légèrement vers l'avant. Cette inclinaison permet aux gens de se voir et de communiquer. Ils peuvent ensuite chanter, prier ou communier de la façon qui leur plait.

Le câlin en cercle est une formation intégrale que l'on retrouve dans les sports du rugby et du football nord-américain. Au rugby, on lui donne le nom de «mêlée». Les joueurs de chaque équipe forment un petit nœud serré, le ballon est lancé à l'intérieur et les joueurs tentent d'en prendre possession. Au football, un cercle de joueurs est formé avant chaque jeu quand le quart-arrière appelle le jeu à sa ligne offensive.

Pour les citoyens ordinaires qui désirent connecter avec leurs semblables de façon plus officielle ou même par un certain rituel, cette formation circulaire est plus représentative de l'esprit de communauté que le câlin de groupe. Une puissance se crée au centre de ce câlin. Tous les participants sont égaux et délimitent l'extérieur du cercle en protégeant l'intérieur, l'espace sacrée. Ce cercle peut aussi être associé à l'idée d'unité, d'intégralité et d'interconnexion qui est l'essence même des câlins.

LE CÂLIN D'ÉQUIPE

C'est par les célébrations des équipes sportives que nous pouvons témoigner de la grande diversité des câlins de groupe qui existe et observer ceux qui sont les plus dynamiques. Les athlètes en route vers la victoire apportent leur charge d'adrénaline, de puissance et d'excitation au câlin de groupe qui devient contagieux dans son exubérance, entraînant même les téléspectateurs dans son élan. Le câlin d'équipe exprime la camaraderie et les réjouissances plutôt que la tendresse et l'intimité. Au coup de sifflet de la fin, dans une soudaine explosion euphorique, tous les joueurs de l'équipe gagnante accourent sur la surface de jeu pour célébrer leur victoire. Ce qui résulte de cet épanchement est l'une ou plusieurs des variations suivantes :

LA COLLISION – Les joueurs, et parfois même les partisans, courent sur le terrain et entrent en collision avec d'autres, créant un débordement d'étreintes. Les joueurs s'entrechoquent avec un tel enthousiasme que certains tombent comme des quilles. À certaines occasions, une partie du groupe se trouve déséquilibrée et tombe par terre, ce qui crée un empilement involontaire.

L'EMPILEMENT – Les joueurs se lancent les uns sur les autres jusqu'au dernier pour ainsi former une montagne de corps empilés.

LE TROUPEAU – Rassemblement similaire à la collision mais qui implique un groupe plus petit qui est en mouvement. Habituellement, lorsque le joueur qui a compté le but court en guise de célébration, les autres joueurs le rejoignent et l'enlacent dans la course. Ce câlin est quelque chose à voir et fait penser à un troupeau de bisons qui se déplace à l'unisson à grande vitesse.

«LE HUG AND RUN» – Le joueur gagnant court sur le terrain alors que ses co-équipiers l'attrapent brièvement pour une étreinte rapide sans toutefois interrompre sa course.

LA CONVERGENCE – Toute l'équipe converge sur le milieu du terrain pour former un câlin de groupe. Le but du câlin est de célébrer un membre plutôt que l'équipe, comme un joueur-étoile ou l'entraîneur, qui se retrouvera au centre de l'étreinte. Cette personne peut éventuellement se retrouver dans les airs, sur les épaules de ses co-équipiers.

LE CÂLIN BRIOCHE À LA CANNELLE

Une brioche à la cannelle humaine est ce qui ressemble le plus à ce câlin : sucré, épicé, chaud et tendre. Je fus initié à ce câlin par un groupe de collégiens qui proclamaient que ce câlin était un rituel d'accueil pour les nouveaux venus sur le campus. Ayant un esprit aventurier et n'étant pas du genre à refuser un câlin de groupe, aussi insolite qu'il puisse être, j'ai donc suivi leurs initiatives.

Ils m'ont demandé de rester debout au centre de la Place Jacques-Cartier pendant qu'ils formaient une ligne à proximité en se tenant par la main. On me prit alors la main en m'expliquant que j'étais la dernière personne de la chaîne et que je devais rester sur place. Puis la première personne de la ligne entreprit de tourner en rond autour de moi en entraînant les autres derrière elle jusqu'à ce que tous s'enroulent dans un

câlin gigantesque avec moi au milieu, créant ainsi une espèce de brioche humaine. La brioche ayant complété sa cuisson, tous les participants levèrent les bras dans les airs en poussant des cris de joie.

C'était vraiment amusant et tout le monde en est ressorti plein d'énergie et resplendissant. N'est-ce pas la raison pour laquelle on recherche la compagnie des autres : pour vivre de la joie à travers des activités plaisantes, exprimer sa gaieté et côtoyer des gens heureux ? Naturellement, ce n'est pas donné à tout le monde d'être joyeux. Certains doivent travailler pour y arriver ; pour vaincre le côté sombre qui nous habite et dominer des habitudes bien ancrées qui nous gardent à notre «présumée» place. Mais la seule place que nous devrions prendre, c'est celle où notre cœur se sent libre de partager ses airs joyeux avec d'autres âmes joyeuses.

LE CÂLIN DE RASSEMBLEMENT

Les câlins de rassemblement sont des événements qui attirent des centaines de personnes de toutes sortes. Ils ont habituellement lieu dans un environnement naturel, par exemple, dans un parc, et n'ont qu'un but, celui de partager autant d'amour, de tendresse et d'affection que possible dans le temps alloué, soit des heures, des jours ou même quelques fois des semaines. Ces rassemblements de masse sont empreints d'un esprit qui rappelle les «love-in» des années soixante ; étreintes et collades de toutes couleurs et de toutes formes sont au rendez-vous.

Les plus vieux et les plus célèbres rassemblements demeurent les «Rainbow gatherings», des célébrations qui ont lieu plusieurs fois par année dans divers pays à travers le monde. Ces événements

ont même engendré des tribus et des familles, des représentants de certaines régions et de certains pays. Comme les troubadours du passé, ces compagnons joyeux parcourent la planète pour promouvoir un style de vie utopique où le respect, la générosité, l'amour et l'esprit communautaire sont les principes de base.

Je n'ai jamais assisté à un tel rassemblement mais j'ai par contre rencontré des membres de la famille Rainbow française. C'était un après-midi terne et gris, une journée tranquille pour les câlins jusqu'à ce qu'une vingtaine d'Européens d'âge moyen, souriants et vêtus de couleurs vibrantes, s'arrêtent devant moi, immobilisés par ce que je leur offrais. Puis, en symbiose, ils se sont alignés devant moi et ont partagé chacun leur tour un câlin sincère et chaleureux avec moi. J'ai été très impressionné par

câlins ; chacun demeurait dans l'étreinte le temps dont il avait besoin, et certains restèrent plusieurs minutes.

Ces étreintes figurent parmi les plus authentiques et les plus aimantes que j'ai partagées. Il était évident que ces beaux êtres humains ne donnaient pas seulement avec leur cœur mais vivaient également selon leur cœur. Quand j'ai finalement étreint le dernier d'entre eux, ils m'ont tous entourés et nous sommes entrés dans une étreinte de groupe qui a duré un long moment. Ils se sont alors mis à danser autour de moi et à chanter «Martin, le Roi des câlins !». J'ai alors pouffé de rire et en levant la tête, je me suis aperçu que même le ciel, pour toutes ses teintes de gris, laissait une place à la lumière.

LES CÂLINS DISCORDANTS

Les câlins décrits dans cette section ne sont ni chaleureux, ni aimants, ni plaisants. Ils ne semblent pas non plus avoir de qualités qui compensent pour leurs défauts à part d'être un exemple vivant qui dénote l'incapacité de certaines personnes à négocier avec l'affection physique. En ce sens, ils valent la peine d'être soulignés. N'utilisez jamais ces câlins à moins que vous vouliez vous rendre impopulaire auprès de vos amis. Il faudrait plutôt les voir comme un rappel de ce qui peut arriver lorsqu'on étreint des inconnus. Vous voyez, même câliner peut parfois être insolite et désagréable ! Nous sommes humains et en tant que tels nous développons toutes sortes d'excentricités bizarres et même parfois troublantes pour faire taire nos peurs et satisfaire nos besoins. Regardez-moi, par exemple, je me rends dans les endroits publics pour offrir des câlins gratuits aux étrangers ! Certains trouveront ce comportement extrêmement bizarre venant d'un homme mature.

Les expériences qui suivent m'ont profondément troublé et ont même fait monter une grande colère en moi. Même si j'encourage fortement le non-jugement, la compassion et l'amour inconditionnel, il n'en demeure pas moins qu'il m'est parfois très difficile de négocier avec les lourds fardeaux que portent certaines personnes, peu importe leur histoire. Le temps m'a aidé à devenir plus tolérant et plus compréhensif. J'ai même appris à apprécier le côté troublant de la nature humaine. Je demeure toutefois loin d'incarner l'être illuminé, aimant et compatissant que j'aimerais être.

LE CÂLIN MACHO - *Catégorie : enveloppant*

Après m'être fait marteler la colonne vertébrale dans la poitrine à de multiples reprises par ce genre d'accueil, j'ai décidé qu'il méritait le titre de câlin macho. Identique au câlin tap-tap sous tous ses aspects, il diffère cependant quant à la dose malsaine de testostérone et d'égo qui y est ajoutée. Ce câlin représente un acte d'agression qui illustre comment une expérience intime masculine peut transformer un homme, qui se croit extrêmement viril, en une brute câlineuse.

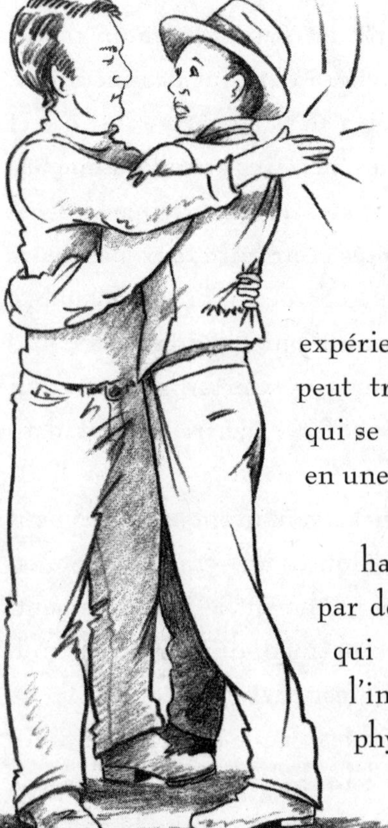

Cette étreinte est habituellement pratiquée par de jeunes hommes. Celui qui l'exerce ressent de l'inconfort face à l'intimité physique d'un autre homme mais désire quand même en faire l'expérience. Ce genre de personnage répondra à mon étreinte en entourant fermement ses bras autour de mon torse, mais au lieu de me tapoter gentiment le dos, il m'astreindra plusieurs claques à main ouverte et finira par me marteler le dos. Plus l'étreinte est longue plus les coups sont forts.

J'imagine que ce geste est censé traduire leur masculinité aux observateurs ou peut être qu'en réalité il sert plutôt à réprimer leur sensibilité qui tente d'émerger. Dans tous les cas, je mets toujours fin à ce câlin aussi rapidement que possible de peur d'être blessé.

Par la suite, je tente habituellement de parler avec l'individu et de lui expliquer que ses actions causent de l'inconfort et font mal. Je lui offre de l'étreindre une seconde fois s'il consent à mettre son agressivité de côté et tente d'être plus réceptif à l'intimité qui se créée. Certains acceptent et s'aperçoivent qu'être doux n'enlève rien à leur masculinité ; au contraire, ils se sentent plus forts et plus en contrôle, aussi. Ceux qui refusent me quittent en se demandant ce que peut bien être mon problème. Dans les deux cas, j'ai su me respecter tout en donnant l'opportunité à quelqu'un de découvrir un autre aspect de l'étreinte.

Le câlin apathique - *Catégorie : formel*

Imaginez-vous quelqu'un qui ne désire pas recevoir de câlin et qui reste debout, immobile comme une coquille vide ou un corps inerte, pendant que vous l'étreignez chaleureusement. Je voudrais tellement brasser ces individus pour les réveiller et les sortir de leur existence végétative. Vous n'aurez probablement pas à étreindre ce type de personne mais dans ma pratique, tout le monde est bienvenu, en autant qu'il sache se frayer un chemin en direction de mes bras qui n'attendent qu'à lui offrir du réconfort.

Une femme pleine d'entrain avec qui je venais tout juste de partager une caresse touchante essayait de convaincre son jeune fils et son mari de venir tenter l'expérience. Le garçon est venu volontiers et est reparti avec le sourire. Le mari, c'était une autre histoire. Il avait l'air morose et abattu ; le malheur semblait suinter par tous les pores de sa peau. Il n'est pas venu aisément mais a finalement acquiescé aux demandes insistantes de sa femme. Il s'est traîné péniblement les pieds pour s'arrêter devant moi. Je pensais qu'il ouvrirait au moins les bras, mais non. Il restait là, les bras pendant de chaque côté du corps, me fixant de son regard malheureux. De tous les hommes au monde, celui-ci avait le plus besoin d'une étreinte. Fidèle à mon habitude de ne pas forcer les gens, je lui demandai s'il désirait un câlin. Il ne répondit pas mais fit un signe de tête, à contre cœur. Je pouvais presque l'entendre dire «Allez, qu'on en finisse !». Je l'enlaçai donc en lui donnant tout le réconfort qu'il m'était possible de lui donner. Il n'eut aucune réaction. Seule sa respiration indiquait qu'il était toujours en vie. C'était difficile de poursuivre le câlin puisque mon énergie semblait passer directement à travers lui. Son état dépressif diminuait mon énergie et son énergie négative me donnait la nausée, j'ai donc terminé l'étreinte en lui offrant quelques gentils mots d'encouragement.

J'étais heureux car je pensais avoir fait quelque chose de bien pour cet homme mais alors qu'il quittait, il leva sa main en ma direction pour me faire un doigt d'honneur. La joie qui m'habitait disparut soudainement. Mon visage dut trahir mes pensées car un silence parcourut les gens qui regardaient la scène, y compris l'épouse de cet homme. Je suis retourné à mon immobilité alors qu'il s'approchait d'elle, un air de défi sur le visage. Elle lui administra alors une gifle en plein visage, ce qui surprit tout le monde, et commença à crier après lui. Entraînant le garçon par la main, elle partit, furieuse, laissant derrière elle le pauvre homme au regard misérable au beau milieu de la place publique bondée de monde.

Nous avons chacun notre histoire, et tout ce que nous pensons, disons ou faisons influence le cours de notre vie. Il n'en tient qu'à nous d'améliorer notre sort.

LE CÂLIN TOUCHE-MOI-PAS - *Catégorie : formel*

Certaines personnes pensent qu'il est impoli de refuser un câlin, même si elles ne désirent pas en recevoir un ou même être touchées. Vous pouvez reconnaître un câlin touche-moi-pas à la façon dont tout le corps se tend au moment de l'étreinte. Les épaules se soulèvent, les mains et les bras demeurent près du corps, prêts à se protéger, et la respiration peut même s'arrêter le temps de l'étreinte. Les moins contraints peuvent précautionneusement caresser l'autre personne dans le haut du dos une fois ou deux avant de s'éclipser, un sourire poli aux lèvres. Le plus mystérieux, c'est que ce type de câlineur ne refusera jamais un câlin ou ne se retirera pas non plus d'un contact physique, même si son corps crie «Touche-moi pas !».

De temps en temps, ma sœur Annik se transforme en ce type de personne. Lorsqu'elle a son regard renfrogné, je sais qu'elle est émotive mais qu'elle combat pour retenir ses émotions. Elle a vraiment besoin d'un câlin – je le sais et elle le sait – mais elle ne peut se permettre d'en recevoir un. Quand j'approche, elle refuse en relevant les bras de façon défensive et parfois même en me repoussant physiquement. Mais si je persiste avec humour et tendresse et que je l'étreins, elle fond en larmes dans mes bras, heureuse que je la considère assez pour dépasser sa façade de dure et aller toucher son cœur meurtri. J'aime profondément ma sœur et je ne ressens aucune gêne à l'exprimer, même si parfois elle est têtue et s'il lui semble difficile de l'accepter. Annik finit toujours par accueillir mes câlins, ce qui n'est pas le cas avec tout le monde.

Au début, je m'offusquais lorsque quelqu'un montrait ce genre de résistance. Je me disais : «Pourquoi diable viennent-ils me voir s'ils n'aiment pas les câlins ?». Plus tard, j'ai réalisé que si je voulais réellement être un câlineur aimant et aimable, je ne devais pas imposer ma façon d'étreindre mais plutôt adapter mon étreinte pour qu'elle devienne une expérience favorable pour l'autre personne.

Ma sœur m'a montré que je me devais de respecter les limites des gens mais que je ne devais pas avoir peur de repousser doucement ces limites si c'était pour leur apporter l'amour et le réconfort dont ils avaient besoin. J'ai toujours trouvé important de remercier mon partenaire après avoir partagé une étreinte, même si la personne ne donnait qu'une présence passive en retour. Le fait de prendre conscience de la bonté innée et de la nature divine de chaque personne m'aide à accepter chaque individu tel qu'il est, avec ses défauts et ses qualités.

LE CÂLIN SUMO - *Catégorie : enveloppant*

Divertissant aux yeux du public mais vraiment déplaisant à mes yeux, ce câlin représente la forme d'étreinte la plus déconcertante que je connaisse. Imaginez-vous, si vous en êtes capable, en train d'étreindre un lutteur sumo déchu qui expérimente des flash-back de ses pires combats à l'autre bout du ring. C'est une expérience déroutante que je ne recommande à personne.

L'étreinte donnée par ce jeune mâle, qui se veut courageux mais qui manque d'assurance, peut facilement sembler agressive et combative si on ne reconnait pas son désir sous-jacent d'exprimer son affection. Comme dans le cas du câlin macho, les intentions du jeune homme ne sont pas forcément méchantes mais sont plutôt une sur-réaction apparente de sentiments d'insécurité et de vulnérabilité réveillés par la gêne d'être physiquement intime avec un autre homme. Il essaie donc physiquement de reprendre le contrôle de la situation afin de contrebalancer les sentiments d'inconfort qui émergent.

Ce pas-de-deux maladroit commence habituellement comme une étreinte chaleureuse. Tout se déroule bien jusqu'à ce que l'étreinte devienne un peu plus intime qu'une tape amicale dans le dos. Voici le moment où le câlineur se métamorphose en lutteur. La tension monte, il renforce sa prise sur moi et commence à tordre, à tourner, à lever et à tirer mon corps, comme si j'étais un adversaire qui le défiait délibérément – ce qu'en fait je deviens rapidement, rendu à ce stade. Si ce câlin n'était pas si déconcertant, il pourrait probablement être amusant. Comme je n'aime pas être malmené, je sonne alors la fin de l'étreinte. En me dégageant fermement de sa prise agitée, j'informe mon partenaire sur un ton poli mais intransigeant qu'un câlin n'est pas un combat et ne doit pas être imposé mais bien partagé avec quelqu'un.

LES CÂLINS : VARIANTES

Comme toute autre forme d'art, le câlin vous invite à devenir un artiste et à exprimer votre propre créativité. Je vous encourage fortement à être créatif, à avoir du plaisir et à ajouter votre touche personnelle à vos étreintes et ce, en interprétant librement, en explorant et en adaptant les câlins de ce livre à votre goût et à vos besoins. Chaque situation nécessite une approche unique. Il est important de rester réceptif et souple si vous désirez que vos câlins soient un moyen de communication sincère. Les étreintes qui vous sont présentées ci-après peuvent différer considérablement de la forme standard du câlin corps-à-corps mais avec la bonne intention, ils respectent leur esprit d'unité et d'amour-compassion.

LE CÂLIN DU POUVOIR

En tant que Monsieur Câlin, j'aime que tout le monde sache en quoi consistent mes actions et mes intentions. En ce sens, mon tableau m'est très pratique et renseigne les gens à l'effet que je donne des câlins gratuits tandis que mes actions parlent d'elles-mêmes. Malgré tout, chaque jour, quelqu'un me présente une poignée de main. C'est peut-être pour tester le sérieux de ma démarche, parce qu'ils se pensent drôles ou peut-être aussi parce qu'ils n'affectionnent pas particulièrement les câlins mais désirent quand même montrer leur appréciation quant à mes intentions.

Dans tous les cas, je refuse leur offre et les invite à partager un câlin chaleureux. Certains acceptent, d'autres plus têtus insistent pour que je prenne leur main. J'ai fait face à ce dilemme régulièrement jusqu'à ce que je décide d'offrir le câlin du pouvoir, qui pourrait aussi ce nommé «La poignée de main du président».

J'ai appris un jour que les hommes riches et puissants ne donnaient pas une poignée de main identique à tout le monde. Si vous observez par exemple le président de États-Unis, sa poignée de main vous renseignera sur l'importance de la personne qui se trouve devant lui. Tout commence par une poignée de main ferme et fluide. La différence réside à l'endroit où le président déposera sa main

gauche – par-dessus la main empoignée, sur l'avant-bras de cette main, le haut du bras ou sur l'épaule. Plus sa main monte, plus il entretient une relation proche avec cette personne ou plus il la considère. Quant au receveur du câlin, il se sent valorisé et privilégié par la présence de la personne influente.

Ce geste me semblait la meilleure façon de partager de la sollicitude avec les gens qui insistaient pour recevoir une poignée de main. Le câlin du pouvoir me permet de partager avec ceux qui, pour des raisons personnelles, ne peuvent recevoir de câlin mais veulent se connecter physiquement avec moi. Et d'autre part, il permet à ces gens de se sentir valorisés car je reconnais leur geste comme une forme d'intimité tout aussi appréciée que le câlin. Je fus agréablement surpris de voir revenir, quelques jours plus tard, certains de ces hommes à qui j'ai donné le câlin de pouvoir, pour accepter mon offre initiale et partager un vrai câlin avec moi. Je les avais respectés en utilisant leur langage ; ils me témoignaient maintenant de ce respect en retour.

LE CÂLIN DU PETIT DOIGT

Que faire lorsque vous êtes dans une situation où vous avez besoin d'un toucher réconfortant de votre partenaire qui se tient juste à vos côtés mais que vous vous trouvez dans un contexte, ou au sein d'une compagnie, où les manifestations publiques d'affection ne sont pas appropriées?

Le câlin du petit doigt m'a été inspiré par le couple qui m'a aidé pour la conception visuelle de ce livre. Richard et Samantha sont deux personnes très chaleureuses qui adorent câliner. Ils m'ont révélé qu'à plusieurs occasions, pendant une réunion ou un souper familial, si l'envie d'étreindre les prenait, ils glissaient simplement leurs mains sous la table et enlaçaient leurs petits doigts resserrant l'étreinte de temps en temps. Ce geste simple et subtil leur permettait un contact plus intime qu'un simple regard échangé. Je pensais que ce câlin était propre à Richard et Samantha mais en parlant avec mon ami Marc et sa conjointe, j'ai découvert qu'eux aussi, ainsi que plusieurs autres couples, utilisaient couramment le câlin du petit doigt comme geste de complicité.

Ce simple toucher nous permet de trouver la confiance dans la vie de tous les jours ; il nous rappelle que nous ne sommes pas seuls, qu'il y a quelqu'un à proximité avec qui nous pouvons partager nos secrets

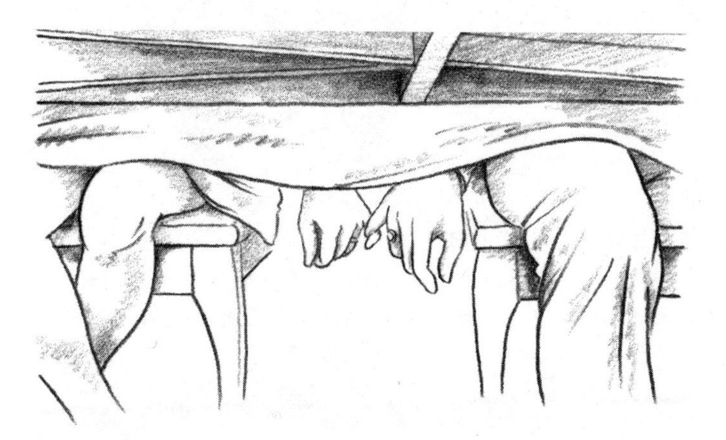

et nos rêves, que ce soit un membre de la famille, un ami ou notre partenaire de vie.

LE CÂLIN REBONDISSANT - *Catégorie : enveloppant*

Joyeux, amusant et merveilleusement attachant, même s'il peut parfois être inconfortable, ce câlin apporte une joie immense aux enfants aventureux, toujours prêts à faire un tour de manège sur la première jambe robuste qu'ils rencontrent.

Quel rassemblement familial, anniversaire ou autre fête n'a pas eu sa part de célébration équestre,

particulièrement quand un oncle bien-aimé ou un ami de longue date y participe. Sans contredit, tous les enfants de 3 ans de la maisonnée veulent être les premiers à bondir sur cette jambe galopante. Même papa doit de temps à autres participer à ce jeu équestre. Ce ne sont pas les petits cris de plaisir des enfants qui ennuient parfois les adultes mais bien lorsque ces enfants ne peuvent plus s'arrêter et s'accrochent sans relâche à la jambe comme un poids mort. Les visiteurs se prêtent habituellement volontiers à ce jeu qui consiste à marcher comme s'ils avaient un pied enchaîné à un boulet. Il est vrai que l'image créée est très amusante... du moins pour les enfants.

LE CÂLIN DE L'ARBRE - *Catégorie : enveloppant*

Je me suis longtemps demandé pourquoi les gens embrassaient les arbres. La raison qui motivait ce genre de rituel était hors de ma portée. Est-ce que l'arbre se porterait mieux après avoir été aimé, touché et caressé ou était-ce simplement un truc promotionnel d'un quelconque écologiste pour sensibiliser le public au problème du déboisement ? Je suis resté dans l'ignorance jusqu'à ce que je me retrouve en présence d'un chêne de 300 ans aussi large que deux automobiles, quelque part sur le sentier Pacific Crest, dans le sud-est de la Californie.

Emporté par la présence majestueuse de cet être végétal qui préserve la vie, je m'en suis approché avec admiration et émerveillement. Que d'histoires doivent être enfermées dans la mémoire de cet arbre, et que d'aventures ont pu se produire autour, au-dessus et sous ces branches ! J'ai sauté allègrement entre les racines enlacées, et entrepris d'explorer la surface noueuse du bout des doigts. Avec mes pieds enracinés fermement dans la terre, mes bras étirés autour de sa circonférence et mon corps pressé contre son tronc, j'ai fermé les yeux et je me suis abandonné à la magnifique perfection de ce chêne majestueux. Les vibrations puissantes de cet arbre atteignaient directement l'essence de mon être ; son souffle vitalisant courait dans mes veines pour battre son rythme de vie dans mon cœur. Puis j'ai senti la connexion : mes pieds à ses racines, mon corps à son tronc, mon cœur à sa sève, mes bras à ses branches, ses feuilles, ses fruits... J'ai senti son énergie se mêler à la mienne... puis ce fut le silence. J'ai embrassé cet arbre pendant des minutes interminables. Puis, lentement, comme si je m'éveillais d'un rêve ancien, j'ouvris les yeux à la vie qui m'entourait. La sérénité, la vigueur et l'acceptation m'enveloppaient. Je me suis assis au pied de l'arbre plusieurs heures, incapable de me détacher de sa présence. Lorsque j'ai finalement repris mon chemin, ce fut avec un sentiment de tristesse joyeuse, comme quand on quitte un ami cher pour une longue période. La joie venant du fait qu'on sait qu'on gardera sa présence réconfortante dans notre cœur et la tristesse, que le souvenir de cet être ne pourra jamais remplacer sa présence.

Aujourd'hui, quand je croise un arbre qui me parle ou qui m'inspire, je l'embrasse. Comme avec les humains, je lui demande d'abord la permission. Un arbre a des qualités si puissantes : la force de son tronc, la flexibilité de ses branches, son enracinement dans la terre, la nature purifiante de ses feuilles... En l'étreignant, je me laisse guider intuitivement par la qualité dont j'ai le plus besoin à ce moment particulier et je demande à l'esprit de l'arbre de me la transmettre. Je termine toujours en remerciant l'arbre et en lui exprimant ma reconnaissance et mon respect pour tout ce qu'il apporte : purification de l'air, protection contre les éléments, structure pour nos maisons, bois pour nous tenir au chaud et même le papier sur lequel sont imprimés ces mots, qui, par respect pour ces créatures nobles, est recyclé à 100%.

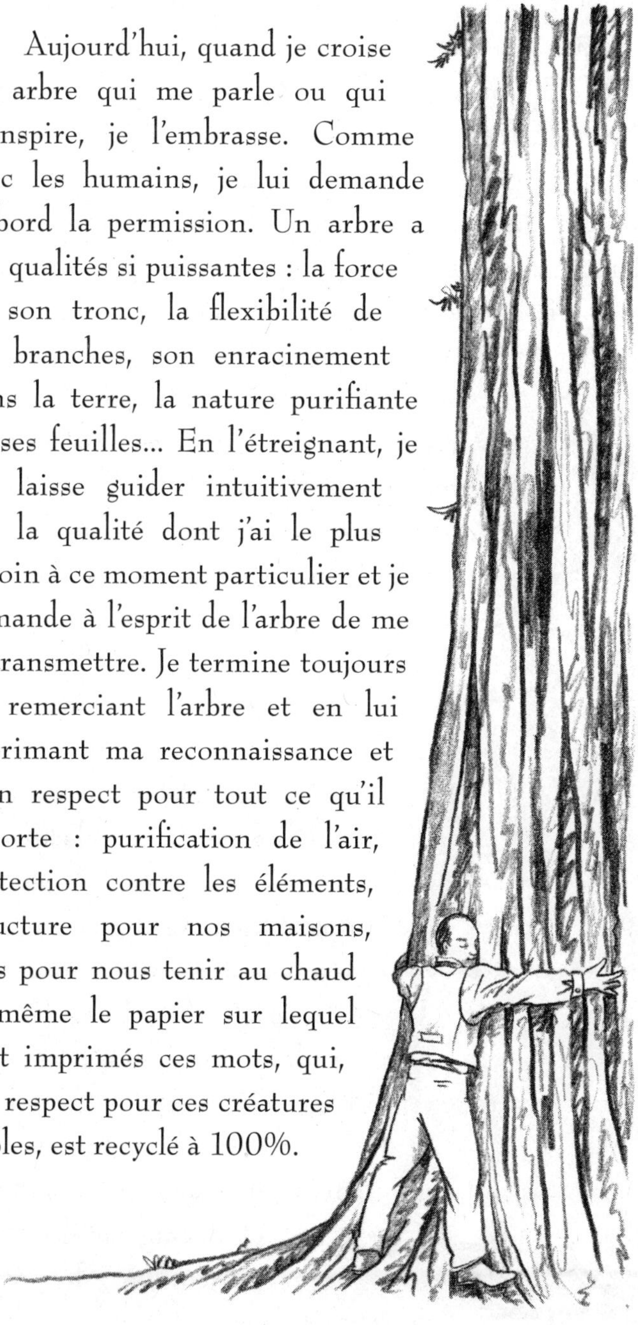

LE CÂLIN AÉRIEN

Si vous pouvez souffler un baiser d'un bout à l'autre de la pièce, vous pouvez tout aussi bien souffler un câlin ! Envoyer un baiser aérien est un geste romantique alors qu'envoyer un câlin aérien peut démontrer des sentiments dépourvus de romance.

Pour que le câlin ait un sens, vous devez être séparé de l'objet de votre attention par une barrière ou un obstacle quelconque et que l'objet demeure très visible mais physiquement inatteignable. Si vous vous trouvez sur les côtés opposés d'un rail de métro, séparés par un mur de verre, une foule immense ou même pendant une diffusion par satellite, vous verrez peut-être en ce câlin aérien le moyen idéal pour communiquer.

Pour ce faire, placez vos mains sur votre cœur. Prenez une respiration lente et profonde. En maintenant votre attention sur votre partenaire, imaginez que vos bras sont de gigantesques ailes de lumière d'amour. Ouvrez-les pour entourer votre partenaire de cette lumière et ramenez-les en direction de votre cœur. Enveloppez-vous de vos bras, fermez les yeux pour un bref moment, et envoyez le câlin en ouvrant les bras à partir du cœur. Ils recevront votre câlin et s'envelopperont symboliquement dans son étreinte.

Récemment Jean, un ami de longue date, m'a fait part d'une variation du câlin aérien qui est intégral à son métier, qui est d'initier les gens au parachutisme. Le duo bouclé ensemble, s'enlace solidement et Jean, parachute sur le dos, saute de l'avion entrainant l'autre à sa suite. Ce saut en tandem engendre le plaisir de l'abandon et la confiance en l'autre et en l'expérience même. Les gens mettent leur vie entre ses bras tous les jours. Jean est un câlineur pour aventuriers sérieux !

LE «E-HUG»

Trop loin pour partager un câlin avec qui que ce soit ? Ne vous découragez pas – vous pouvez dorénavant vous brancher et envoyer un «E-Hug» ! L'Internet, par le biais du courriel, des «chat room» et par la messagerie instantanée (MI) demeure un moyen rapide et simple pour communiquer avec votre famille, vos amis ou des étrangers qui partagent un même intérêt partout sur la planète. Nous ne sommes pas tous doués quand vient le temps d'exprimer nos émotions par écrit. Pour la plupart d'entre nous, la spontanéité et la signification se perdent ou peuvent même être mal interprétées car nous ne pouvons ni nous voir, ni nous entendre, seulement nous lire.

Les binettes «smiley» ont été créées pour parer à ce problème. Ce genre de sténo dédié au «chat room» a évolué au fil des ans : initialement composé de simples symboles représentés par des touches de clavier pour exprimer des émotions de base (tels que la joie, la tristesse, le rire ou la colère), il s'est changé en un langage constitué de centaines d'expressions et de significations. La majorité des gens n'utilisent qu'une douzaine de symboles dans une conversation Internet générale. De plus, de nos jours, la plupart des services MI possèdent leurs propres émoticônes et bibliothèques de binettes, disponibles via la fenêtre de l'utilisateur. Avec l'aide de quelques touches du clavier, vous pouvez embrasser vos amis partout dans le monde !

Les quatre émoticônes ici-bas sont utilisés régulièrement dans la communication Internet. Chaque séquence de caractères représente une expression de câlinage :

Vouloir un câlin : [ ]
Envoyer un câlin : []
Câlins et bisous : (()) :**
De nombreux câlins : ((((ajoutez le nom ici))))

Les icônes et les émoticônes animés augmentent en popularité dans les programmes MI également. Tapez la séquence >:D< dans Yahoo, par exemple, et vous verrez apparaître un câlin animé, représentant un «smiley» aux bras ouverts en train d'étreindre. Dans MSN, la séquence ({) ou (}) va créer une icône statique affichant une tête à deux bras en extension du côté droit ou gauche, selon la séquence choisie. Explorez les touches de votre programme de MI pour voir si vous pouvez créer des icônes de câlin. Si vous désirez une plus grande variété d'icônes dont certains, vraiment chouettes, il est possible d'en acheter sur différents sites. Amusez-vous ! (()) :-)

- 5 -

MÉDITATIONS

Tout au long de ce livre, j'ai partagé avec vous mes expériences de conscientisation, d'amour-compassion et d'art de vivre à partir de son cœur. Je vous offre ici quelques techniques simples qui m'ont aidé dans mon périple à embrasser la vie. Je vous invite à prendre quelques minutes de votre temps tous les jours pour découvrir comment quelques respirations profondes, quelques moments de silence ou un sourire chaleureux peut enrichir votre quotidien.

Ces méditations peuvent se faire n'importe où et à n'importe quel moment. Ce serait bien de prévoir 20 minutes pendant lesquelles vous vous assurerez de ne pas être dérangé. Détachez ou desserrez tout vêtement ou accessoire qui pourrait vous restreindre (ceinture, cravate, souliers). Si vous méditez 15 minutes, deux fois par jour, vous verrez un résultat immédiat.

Par le biais de nos pensées, de nos émotions et de nos actions, nous devenons les architectes de notre propre réalité. Quoique nous croyions être, nous allons éventuellement le devenir, pas seulement à nos yeux mais aux yeux de tout le monde. Tout malheur et tout bonheur commencent en nous et se terminent avec nous. Alors, pourquoi ne pas choisir le bien-être ?

La méditation de pleine conscience

Vivre entièrement chaque moment, être présent ici et maintenant, et porter un regard attentionné sur la vie sont tous des exemples de pleine conscience. Qu'est-ce exactement que la pleine conscience ? Qu'est-ce que veut dire être pleinement présent dans la vie ? Comment peut-on exercer la pleine conscience dans le cours de nos activités journalières, avec toutes les distractions, les problèmes et les obligations qui nous dirigent ? À un degré ou à un autre, nous sommes tous conscients de notre monde intérieur et extérieur. La pleine conscience consiste à accentuer ce degré d'attention. C'est être à l'écoute de notre vécu à chaque instant de son déroulement.

Si vous me permettez, j'aimerais être votre guide de voyage dans la pleine conscience. Prenons quelques minutes pour explorer cette façon d'être présent, ici et maintenant. Sans jugement ou désir de contrôler quoi que ce soit, commencez à être attentif à votre état. N'essayez pas de changer quoi que ce soit, laissez-vous simplement guider par les mots que vous lisez. Demeurez attentif, observez et prenez conscience de votre état. Lorsque vous verrez des points de suspension (...), prenez le temps d'explorer l'expérience suggérée avant de poursuivre votre lecture. Le mot «attention» remplacera «pleine conscience» dans l'exercice qui suit.

Maintenant, débutons.

Prenez trois grandes respirations, lentes et profondes. Ressentez l'air entrer et sortir de vos poumons...

Portez maintenant votre attention sur votre souffle... Où le sentez-vous le plus... dans votre nez, votre gorge, votre poitrine, votre dos, votre ventre... ?

Portez votre attention sur votre respiration... le son qu'elle émet... son rythme... sa profondeur... l'effet qu'elle a sur votre corps...

Portez maintenant votre attention sur votre posture... Y a-t-il des zones de tension... d'engourdissement... d'inconfort... ?

Portez votre attention sur vos orteils... pieds... hanches... torse... dos... bras... mains... doigts... cou... gorge... tête... figure... oreilles... yeux... bouche... langue... nez...

Retournez à votre respiration et soyez attentif à l'entrée et à la sortie de l'air par vos narines... Quelles sont les sensations que vous éprouvez ? Est-ce chaud, froid, sec, piquant, engourdi ?...

Demeurez centré sur l'intimité de votre respiration, continuez d'observer et d'écouter.

Ressentez la lourdeur de votre corps sur la chaise, le divan, le plancher ou le lit...

Ressentez la présence de ce livre dans vos mains... la texture du papier...

Quels sont les bruits qui vous entourent ? Votre souffle, les voisins, la circulation...

Quelles odeurs sentez-vous ?...

Quel goût et quelle texture avez-vous dans la bouche ?...

Lisez ce paragraphe et ensuite regardez lentement
autour de vous et sans nommer ou identifier les
objets...
expérimentez les couleurs...
la forme des objets...
la structure de l'espace...
la sensation d'être en vie en ce lieu et en ce
moment...

Maintenant, élargissez votre attention pour inclure
les autres pièces...
puis la bâtisse...
Ensuite, si vous le pouvez, le quartier entier...
la ville...
le pays...
le continent...
la terre...
l'univers...

Vous voici donc ici, maintenant, expérimentant l'état d'être simplement en vie dans votre réalité du moment.

Metta : l'amour-compassion

Metta, c'est un méditation axée sur la bonté et l'amour. Elle vous offre la possibilité de développer et de renforcer vos intentions d'amour-compassion, qu'elles soient dirigées vers vous-même, vers tous ceux qui croisent votre chemin ou vers chacun des êtres doués de sensations en ce monde.

Maintenant que vous êtes plus réceptif au moment présent, que votre corps est plus calme et votre esprit plus paisible, c'est le moment idéal pour explorer la quiétude de l'esprit et du silence intérieur.

Vous êtes détendu, votre souffle est lent et régulier et vous êtes assis dans une position confortable. Placez les paumes de vos mains sur votre chakra du cœur. À chaque inspiration, imaginez votre corps se remplir d'une douce lumière blanche ou dorée. Elle vous remplit du haut de votre tête jusqu'à vos pieds. Cette lumière divine entre en vous et dissout tous vos ennuis, guérit toutes vos souffrances et enveloppe votre cœur d'un amour apaisant. À chaque expiration, imaginez que tous vos problèmes, vos craintes, vos souffrances et votre chagrin s'évaporent dans le néant. Avec chaque respiration profonde, la lumière devient plus forte et l'amour plus puissant.

Maintenant, avec pleine conscience et conviction, répétez 3 fois dans votre cœur les intentions suivantes, ou toutes autres intentions positives :

«Je suis libéré de mes peurs et de mes souffrances»,
«je suis Amour»,
«je suis Bonté»,
«je suis Compassion»,
«je suis Sérénité»,
«je suis Lumière»,
«je suis Divin»,
«je suis heureux»...

Recommencez encore 3 autres fois mais en changeant «Je suis... » par :

«Que tout être soit touché par... mon bonheur... mon bien-être... mon amour...».

Refaites le tout, 3 autres fois, en disant :

«Que tout être soit... heureux... libre de peurs et de souffrances... rempli d'amour... .

Lorsque vous avez terminé, envoyez votre intention d'amour aux quatre coins du monde. Recentrez-vous sur votre respiration. Prenez un moment pour laisser le sentiment d'amour-compassion vous habiter, puis terminez par une pensée, un mot ou une prière de gratitude.

Metta : l'amour-compassion - *La version abrégée*

Placez les paumes de vos mains sur votre chakra du cœur et respirez lentement et profondément trois fois en disant «Je suis rempli d'amour…, de patience…, de gratitude…» ou un autre sentiment approprié à l'action que vous allez entreprendre, comme prendre un appel, ouvrir votre courrier, déguster un repas, commencer une présentation. Cette méthode donne des résultats immédiats. Plus vous ferez cet exercice, plus il vous sera facile d'embrasser la vie en souriant.

21 jours de sourire

Au début de la première section «L'aventure d'un câlineur» j'explique que je cherchais une façon de me sortir de la noirceur qui m'avait envahi et je décris les différents moyens que j'ai explorés pour ramener la lumière dans ma vie. La meilleure méthode a été un exercice de transformation de 21 jours. Chaque jour, pendant trois semaines, je devais vaquer à mes occupations normales mais en intégrant l'intention d'égayer ma vie, en apportant du soleil dans la vie d'un inconnu.

Imaginez-vous saluer ou sourire chaleureusement aux étrangers pendant les 21 prochains jours. Au début, vous allez sans doute vous sentir mal à l'aise et un peu embarrassé puisque se révéler à des inconnus avec sincérité et spontanéité est, pour la plupart d'entre nous, un acte hors de l'ordinaire. Soyez toutefois assurés que si vous persistez, un sentiment profond de satisfaction et de joie remplira votre cœur chaque fois que vous offrirez votre splendide sourire à un inconnu. L'idée, c'est de sourire ou de saluer et de poursuivre votre route sans attendre une réponse en retour. À l'image du câlin, votre geste de bienveillance doit être inconditionnel et sans attentes. Autrement, il annule le geste et l'inconnu peut se sentir obligé de rendre la pareille. Faites don de votre gentillesse aux étrangers et vous découvrirez rapidement que votre monde s'est transformé en ce que vous vouliez qu'il soit : un endroit bienveillant, gai et chaleureux.

Parfois il est bon de terminer par un câlin,
puisque chaque câlin invite un nouveau
commencement.

MOT DE DÉPART

Quelle merveille nous sommes, nous les humains ; ces êtres de Dieu, ces enfants de la Terre ! Nous sommes perdus dans nos illusions de perfection, noyés dans la tristesse de nos rêves oubliés et de nos espoirs empruntés – mais nous aspirons à la connaissance qui nous révélera l'évangile de notre vérité. Nous cherchons dans toutes les directions mais en vain, puisque nos découvertes nous ramènent là où nous avons débuté. Il n'y a rien au-delà de nous ; tout se passe dans nos petits cœurs si puissants. Et là, dans cet endroit sacré, réside l'Esprit de Dieu qui nous offre toute la sagesse, le réconfort, la joie, la force, la foi, le courage et l'amour dont nous avons besoin pour cheminer sur notre voie.

Chaque jour, la vie nous offre d'innombrables occasions pour nous aider à découvrir qui nous sommes vraiment et ce que nous pouvons réellement devenir. Chacun de nous est unique, beau et authentique, tout comme chaque instant de notre journée. Si nous pouvions simplement arrêter de penser à faire des choses et commencions à faire ce que notre cœur nous dicte, le bonheur pourrait alors trouver une plus grande place dans notre vie. Aimer ou ne pas aimer, être heureux ou ne pas l'être, embrasser la vie ou ne pas le faire, nous avons toujours le choix. C'est maintenant, en ce moment même, que vous décidez comment votre vie va se dérouler.

En abandonnant mon cœur à l'Amour de Dieu, j'ai eu le courage de partager le bonheur que la vie m'offrait. En touchant la vie des autres avec amour et sincérité, j'ai découvert un chemin qui mène à la félicité et à la plénitude. Cette aventure, je l'ai partagée avec vous dans l'espoir que vous puissiez découvrir votre propre chemin vers une vie joyeuse, significative et remplie d'amour, en partageant avec autrui ce que vous désirez le plus.

Un câlin chaleureux à chacun de vous,
Martin Neufeld
Monsieur Câlin, «*The Hugger Busker*»

MC

CONTACTS

Pour en savoir plus sur Martin Neufeld
et Monsieur Câlin, visitez :

www.monsieurcalin.com

Pour vous renseigner au sujet de l'animation d'ateliers
ou de conférences données par Martin Neufeld, ou
pour inviter Monsieur Câlin, à votre événement,
envoyez un courriel à :
info@monsieurcalin.com

Pour commander ce livre ou toute autre
publication de Martin Neufeld, visitez :

www.embrasserlavie.com

ou écrivez à :

C.P. 32, Succ. Place d'Armes
Montréal (Québec)
Canada H2Y 3E9

ou par courriel :
info@embrasserlavie.com